暮らしの科学

—50の実験—

近 芳明

風詠社

はじめに

私が勤務する東京都立一橋高等学校定時制課程は、2005年に開校した、まだ新しい学校です。本校の特色としては、昼夜間、3部制、また単位制であることです。さらに、必履修科目の他に、多くの学校設定科目が置かれていることが挙げられます。

学校設定科目とは、「学校においては、地域、学校及び生徒の実態、学科の特色等に応じ、特色ある教育課程の編成に資するよう、普通教育、専門教育に関する教科について（※一部変更）、これらに属する科目以外の科目（以下「学校設定科目」という。）を設けることができる」とあります。

本校には、およそ30もの学校設定科目が自由選択科目として置かれています。理科においても、「暮らしの科学」と「地球環境」という2つの科目が置かれています。シラバスにおける「暮らしの科学」の学習内容には、「身近にある食品や現象を科学的な視点でながめたり、また、実験や観察を通して理解を深めることを目的としています」とあります。しかし2021年度から、この「暮らしの科学」は選択科目から姿を消すことになりました。この科目の学習内容は「科学と人間生活」に引き継がれることになります。この本は、開校以来15年間続いた「暮らしの科学」の授業内容を記録として残そうという思いで執筆されたものです。

本書『暮らしの科学 ―50の実験―』の内容は、私が本校において、10年間担当した「暮らしの科学」の授業を基にしています。生徒に配布したプリントの実験の目的、準備と手順に【結果と解説】を補足した内容となっています。数ある実験・観察の中から選んだ50の実験は、本校の生徒の実態や設備を考慮して選んだものです。生物に関連したもの、化学に関連したもの、さらには物理や地学、環境保全に関連したものなどがあります。本書を手にした方が少しでも授業や家庭での実験の参考にしていただけたら、これ以上の幸いはありません。

目　次

第４章　自分たちの体を使った実験

第 1 章

食べ物に関連した実験

1 本格水飴をつくる

スーパーなどで売られている水飴は、デンプンを酸によって分解したもので、無色透明です。一方、麦芽には、種子中の貯蔵デンプンを分解するために、アミラーゼという酵素が含まれています。

麦芽の酵素を利用した水飴づくりは、奈良時代から行われているといいます。昔なつかしい水飴を作ってみましょう。

【準備】

もち米４合／乾燥麦芽 140 g ／冷水 700ml ／鍋／コンロ／しぼり袋

【手順】

①乾燥麦芽 140 g は、コーヒーミルなどを使い粗挽きにする。

②もち米４合は、一晩浸水した後に炊き上げる。

③炊き上がったもち米に 700ml の冷水を入れ、よくかき混ぜ粥状にする。

④お粥が60℃以下になったことを確認し、そこに乾燥麦芽を入れる。

⑤ 60℃に調整した恒温器に鍋を入れ、８時間糖化する。

⑥８時間後、鍋を冷まし、お粥をしぼり袋に入れる。

⑦ボウルの上にザルを載せ、しぼり袋をしばらく置く。冷えてから手でしぼる。

⑧ボウルに落ちた原液を鍋に入れ、煮詰める。

⑨飴色になり、ドロッとなったら出来上がり（図 1）。

【結果と解説】

生徒は、水飴を作る実験の前に、以下の乾燥麦芽による糖化実験を行って、乾燥麦芽にはデンプンを分解するアミラーゼを含むことを確認しています。

①１％可溶性デンプンを含んだ寒天をシャーレに流し込み固める（デンプン寒天培地と呼ぶ）。

②十分に水分を与えた乾燥麦芽を半分に切り、ピンセットを使ってデンプン寒天培地の中央に置き、５分間放置する。

③５分後、ヨウ素ヨウ化カリ溶液を培地表面全体にかけ、ヨウ素デンプン反応を調べる。乾燥麦芽を置いたところは、青紫に変化しないことから乾燥麦芽にはアミラーゼが含まれることを確認する。

出来上がった少し褐色がかった、ドロッとした液体（図1）をおそるおそる舐めた生徒の感想は「あっ、甘い」というものでありました。しかし、中には、「甘いけど、なんか芋っぽい」などといった感想も見られました。

生徒にとって、口にしたことのある水飴とは、デンプンを酸で分解した無色透明の「水飴」のようです。しかし、本来の水飴は、このようにして、もち米やうるち米に麦芽を作用させて作るものです。

乾燥麦芽に含まれるアミラーゼと呼ばれる酵素は、デンプンを甘味のある麦芽糖などに分解します。使用した原料は今回もち米を使用しましたが、もちろん普通の飯米でもかまいません。もち米のほうが、より甘い水飴が出来ると文献にありました。

ところで、水飴に「水」が付くのはなぜでしょうか。

それは、砂糖を使ったべっこう飴などと違って、麦芽糖で出来た飴は結晶化せず、液体のようにドロッとしているからであり、そのため「水」という字が付くのです。

なお、今回の実験で使用した乾燥麦芽は、漢方薬局から購入したものです。

図１　本格水飴が出来た

2 ミドリムシから蒸し(虫)パンをつくる

ミドリムシは動物のように水の中を自由に泳ぐ能力を持ちながら、細胞内には葉緑体を持ち、光合成を行うことができるというユニークな生物です。近年、ユーグレナという名前で健康食品として人気が出てきました。また、食品としての利用の他に、ミドリムシの作り出す油分がジェット機の燃料として使える可能性も出てきました。

これからの食糧問題、環境問題を解決できるかもしれない、このエース級の「生き物」を実際に顕微鏡で観察し、その粉末を使って蒸しパンを作ってみましょう。

【準備】

検鏡用具／培養したミドリムシ／ユーグレナ粉／牛乳／ホットケーキミックス／卵／ボウル／アルミカップ／蒸し器

【手順】

1．ミドリムシの観察

①小シャーレの中の緑色の液体をスポイトで吸い取り、一滴をスライドガラスに滴下する。

②カバーガラスをかけ、最終倍率400倍でミドリムシを観察する。

2．ユーグレナ粉入り蒸しパンを作る

①ボウルに卵を割りほぐし、牛乳43mlと市販のユーグレナ粉を加え

て混ぜ、さらにホットケーキミックス75gを加え、ムラなくよく混ぜる。

②アルミの型に①で作った生地を均等に分け入れる（図1）。

図1　生地をアルミカップに流し込む

③蒸気が上がった蒸し器に入れ、強火で15分ほど蒸す。竹串を刺し入れ、何もついてこなければ出来上がり（図2）。

図2　おいしそうな蒸し（虫）パンが出来た

【結果と解説】

生徒から「あの少量の粉末に何億匹ものミドリムシが入っていると思うと少しぞっとするが、見た目も香りも抹茶によく似ておいしかった。これで健康になるなら毎日食べられるし、虫を食べている感がゼロで驚いた」という感想がありました。生徒はミドリムシの観察・実験に入る前に、DVDでミドリムシが葉緑体を持つに至った進化的な内容や栄養価について、またジェット機の燃料になることも学んでいるため、そのような感想を抱いたのでしょう。

ミドリムシが葉緑体を持つに至ったのは、捕食性の動物が光合成を行う単細胞の藻類を細胞内に取り込み、それが細胞小器官として機能したという説（細胞内共生説）が有力です。

ちなみに、ミドリムシの粉末の入ったクッキーは東京では日本科学未来館で販売しており、私も購入して食べたことがありますが、普通においしいクッキーでした。

このミドリムシに含まれる栄養素が現在大変注目されています。その理由は、アミノ酸や脂肪酸など59種類もの栄養素が含まれているからです。また、細胞壁がないため、植物細胞と比較して大変吸収率が高いという利点も持ち合わせています。さらに特筆すべき点は、融点が低いワックスエステルを細胞内に蓄積することです。このワックスエステルは自動車やジェット機の燃料の候補にもなっています。

ミドリムシは、将来の食糧問題や、二酸化炭素による地球温暖化を防ぐエース級の生物と考えられます。今後のさらなる開発・改良を期待したいものです。

3 米から酒をつくる

酵母菌（イースト菌）のはたらきによって作られる食品は、身近にたくさんあります。

例えば、ビールやワインなどの酒類やパン類がそうです。野外では、クヌギなどの樹皮から染み出た樹液に野生の酵母菌がはたらき、良い香りの液体にカナブンやオオムラサキなどの昆虫が群がってきます。

酵母菌を顕微鏡で観察し、アルコールが出来ることを実験してみましょう。

【準備】

検鏡用具／酒粕／米／１Ｌビーカー／米こうじ／ドライイースト／乳酸菌（ビオフェルミン）

【手順】

１．酵母菌の観察

①水の入ったシャーレに酒粕を入れ、ガラス棒などを使ってほぐした後、その一部をスポイトで吸い取り、スライドガラスの上に一滴落とす。

② 400 倍の倍率で酵母菌を観察する。

２．日本酒を作る

①白米３合に、水２合を入れて炊き、炊き上がったら三等分する。

②１Ｌのビーカーに米・水280mlを入れる（温度は40℃以下にする）。
③米こうじ66ｇをほぐしながら入れる。
④ドライイーストを２ｇ入れる。
⑤乳酸菌（ビオフェルミン）を0.3ｇ入れる。
⑥アルミで栓をし、40℃に設定した恒温器内で３日間発酵させる。
⑦発酵後、ビーカーの中身をリービッヒ冷却器にかけ、滴り落ちる透明な液体が時計皿にある程度溜まったら、ライターで火をつけてみる。

【結果と解説】

酵母菌の形態は図１のように卵形をしており、ところどころにコブのようなものが見られます。

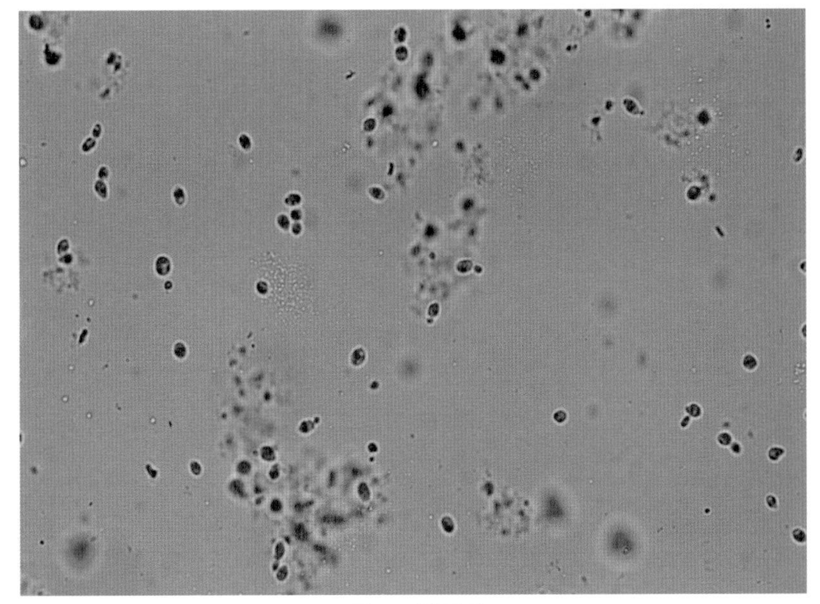

図１　酵母菌

このコブのようなものが成長・分離し、新しい個体となります。酵母菌の生殖法は出芽と呼ばれ、細胞の外側に丈夫な細胞壁を持つためです。

細胞壁があることで動物細胞のように細胞の真ん中からくびれて２つになることはできません。また、植物細胞のように、細胞の真ん中に細胞板が形成されることで二等分される方法でもありません。

アルコール発酵とは、嫌気呼吸の一種で、有機物をたくさんの酵素のはたらきで、二酸化炭素とエチルアルコール（図2）に分解します。

図２　燃えるアルコール

その過程で、生命活動に必要なATP（アデノシン三リン酸）と呼ばれる物質を合成します。私たちが行っている好気呼吸と比較すると、同じ量のグルコースを材料とした場合、合成されるATP量はとても少ないものです。

アルコール発酵によって生成するエチルアルコールや二酸化炭素を、人類は有効に利用してきました。アルコール発酵の歴史は古く、紀元前4000年前のチグリス川中流域でシュメール人がワインづくりを始めたのが最初とされています。

果実・果汁に果皮の野生酵母が自然に入ることで容易にアルコール発

酵が始まることから、小麦などの穀類を材料とした酒づくりより早くから始まったことは容易に推察されます。

酒といっても、ビール、ワイン、日本酒などがありますが、いずれも作り方が異なります（図3）。

[ワイン]
グルコースなどの果汁中の糖類 → 酵母菌 → アルコール（ワイン）

[日本酒]
米（デンプン）→ コウジカビ → グルコースなどの糖類 → 酵母菌 → アルコール（日本酒）

図3　ワインと日本酒の作り方の違い

日本酒の場合、米を材料とするため、デンプンという多糖類を分解する過程が必要です。

デンプンを分解することを糖化といい、日本酒の場合はコウジカビの持つアミラーゼが使われます。また、ビールの醸造では、デンプンの糖化には、麦芽中のアミラーゼが利用されます。

アルコール発酵によって生成される物質に二酸化炭素があります。私たち人類は、この二酸化炭素もうまく利用してきました。発酵パンがそれです。発酵パンの歴史も酒づくりと同様に古く、紀元前4000年の古代エジプトまでさかのぼることができます。

粉にした小麦と水を加えてこね、それに酵母菌を加え発酵させた後に焼く方法は、現代と変わりありません。発酵パンに見られる細かな穴は、発生した気体（二酸化炭素）によるものです。

ところで、パンを食べても酔わないのはなぜでしょうか。それは、パンを焼く過程でアルコール分が飛んでしまうからです。

4 ヨーグルトをつくる

世界には、微生物のはたらきを利用して作られたたくさんの発酵食品が知られています。およそ7000年前から作られてきたというヨーグルトもその1つです。私が小さかった頃（昭和40年頃）には、ヨーグルトは一般家庭ではあまり食べられていなかったように記憶しています。今では、たくさんの種類のヨーグルトがスーパーなどの棚に並んでいます。乳酸菌のはたらきによるヨーグルトを作り、それが出来るしくみを学びましょう。

【準備】

検鏡用具／容器／牛乳／アルミホイル／ヨーグルト／金属のスプーン

【手順】

1．乳酸菌の観察

市販のヨーグルトの一部をスライドガラスの上に少量取り、カバーガラスをかけ、400倍で検鏡する（図1）。

2．ヨーグルトを作る

①加熱しても変形しないような適当な容器を、熱湯に入れ殺菌する。
②市販の牛乳（室温保存可能なものがよい）を、殺菌した容器に100ml程度入れる。
③熱湯で殺菌したスプーンで市販のヨーグルトを少量すくい取り、牛

乳に加える。

④ 40℃に維持した恒温器に入れ８時間から10時間発酵を続けると、固いヨーグルトが出来上がる（図２）。

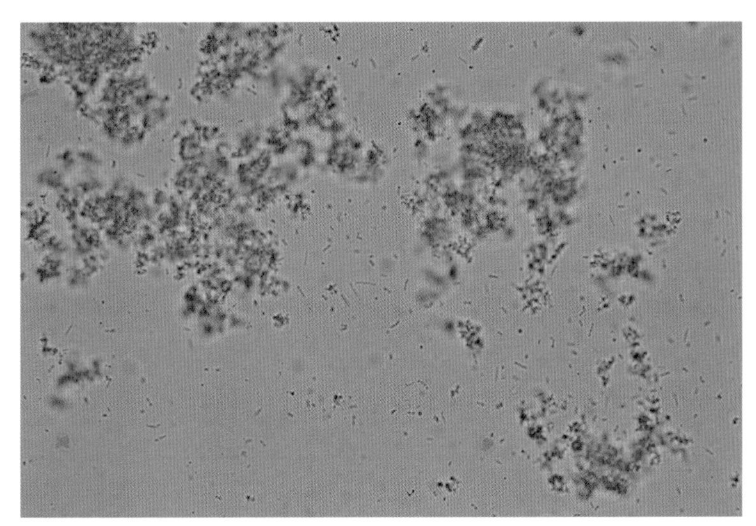

図１　乳酸菌（球状・棒状のもの）

図２　ヨーグルトが出来た

【結果と解説】

日本にはたくさんの発酵食品があります。

代表的なものを表１に示しました。これら以外にも、味噌や醤油が知られています。

表１　代表的な発酵食品の例

発酵の種類	発酵の結果生じる物質（それを利用した食品）	関与する微生物
アルコール発酵	エチルアルコール（酒類）	コウボキン（酵母菌）
乳酸発酵	乳酸（ヨーグルト・ぬか漬け・キムチ）	ニュウサンキン（乳酸菌）
酢酸発酵	酢酸（醸造酢）	サクサンキン（酢酸菌）
酪酸発酵	酪酸（ぬか漬け）	ラクサンキン（酪酸菌）

そもそも発酵とはどのように定義されているのでしょうか。

発酵とは「微生物による有機物の分解」のことで、人類は古来から、発酵によって生成された物質を生活に利用してきました。発酵も腐敗も微生物による有機物の分解のことですが、腐敗はタンパク質などが分解されるため、悪臭を放つ場合が多くあります。

それでは、ヨーグルトを作る原理を見ていきましょう。

生徒は、ヨーグルトを作る前に牛乳にお酢を加えるとブツブツが出来るといった実験を行い、ヨーグルトが出来るのは、牛乳中のタンパク質（カゼイン）の酸変性であることを学習します。

牛乳には、タンパク質の他に乳糖や脂肪が含まれています。乳酸菌はこの中の乳糖を複数の酵素反応によって乳酸にまで分解し、その過程で生命活動に必要なATPを嫌気的に合成します。乳酸発酵は、微生物が行う嫌気呼吸の一種なのです。

乳酸は酸性の物質ですので、カゼインを酸によって変性させ、その結果ヨーグルトが出来るのです。

ヨーグルトが現在のように普及した理由の1つに、微生物学者であるイリヤ・メチニコフの研究があります。メチニコフは、ブルガリア人は伝統食であるヨーグルトをたくさん食べることで長寿であるという内容の「ヨーグルト不老長寿説」を発表しました。

現在でも、ヨーグルトは腸内の善玉菌を増やし悪玉菌を減らすことで腸内環境を整えることが知られています。

5　ドングリクッキーをつくる

縄文人は何を食べていたのでしょう。

文献によれば、秋に実る木の実類は主食と言えるほど重要な栄養源と考えられています。

縄文時代の遺跡からは、カシ、シイ、ナラなどの果実、つまりドングリが発見されているからです。

縄文人になったつもりで、ドングリを食べてみましょう。

【準備】

コナラのドングリ／重曹／薄力粉／砂糖／卵／バター／ベーキングパウダー／乾燥機／鍋／コンロ／オーブン

【手順】

1．ドングリの下処理（アク抜きなど）

①ドングリをペンチを使って割り、実を取り出す。

②まな板の上で小さく（1／4程度）切る。

③水を張った鍋に、切ったドングリと重曹を入れ加熱。湯が茶色になったら火を止めて湯を捨てる（水を入れて冷ましてから、捨てるように）。

④③の操作を2～3回行う。

⑤さらに冷蔵庫の中で一晩水にさらし、アク抜き完了。

⑥乾燥機で乾燥させる。

⑦コーヒーミルで粉にする。

2．クッキーを焼く

①材料（ドングリの粉＋薄力粉＝ 120 g ／砂糖 60 g ／卵 1 個／バター 90 g ／ベーキングパウダー小さじ 1 ／ 4 ）を準備する。

②すべての材料をボウル内で混ぜた後、手で棒状に整え、ラップに包んで冷凍庫内に 1 時間置く。

③ 1 時間後に取り出し、6 ～ 7 mm 程度に切り分ける。

④ 170℃に熱したオーブンで 12 ～ 13 分ほど焼いて完成（図 1 ）。

【結果と解説】

一般にドングリは「ブナ科のカシ、ナラ、カシワなどのコナラ属の樹木の果実の総称で、果実の一部または全部をお椀状の殻斗と呼ばれるものに覆われている」と定義されます。

児童書などでドングリを人の顔に見立てたものを見ると、殻斗の部分がベレー帽になっています。

現在ではドングリを食べる人は少なくなっていますが、例えば神社やお寺の境内などに植えられている「スダジイ」のドングリは、焼いて食べると渋みもなく、ほんのり甘いというので、一度、このドングリでクッキーを作ってみたことがあります。味はどうだったかというと、大変おいしかったのです。

コナラのドングリはタンニンを多く含み、そのままでは食べられませんが、アク抜きをすると十分食用になります。

今回はクッキーの材料として使いましたが、ドングリコーヒーもおつなものです。乾燥させたドングリをフライパンなどで焙煎し、コーヒーミルで細かく砕いた後、普通のコーヒー豆と同じ要領で淹れます。

色はコーヒーとまったく同じですが、香りはありません。それから、当然のように、味もコーヒーとは異なります。

このドングリで代用したコーヒーですが、植民地を持たないドイツにおいて、民間でさかんに飲まれていたと聞きます。黒い森でドングリを拾ってきては、苦くないドングリコーヒーを苦い思いで飲んでいたのかもしれません。

図１　ドングリクッキーが出来た

6　バターをつくる

身近な食材であるバターやチーズはよく口にするものですが、それらが牛乳から作られることは知っていても、どのような原理でバターやチーズが出来上がるのか、そのしくみまで知っている人は少ないのではないでしょうか。今回は生クリームからバターを作り、その出来るしくみを学びましょう。

【準備】

市販されているパック入り動物性乳脂肪45％の生クリーム（※植物性のものは使えないので注意。冷蔵庫で冷やしておく）／冷水／750mlペットボトル

【手順】

①750mlのペットボトルに生クリーム1箱の全量を入れ、同量の冷水を加え、フタをして上下に激しく振る。

②ホイップ状態のクリームを経て乳脂肪が薄黄色の固まりになったら、容器の水分だけを捨てる。2～3回冷水で洗って、薄黄色の固まりを皿などに取り出す（図1）。

③固まりをスプーンの背で押しつけ、水分を押し出す。得られたバターは無塩なので、食塩を加えると一般的に販売されている食塩入りの普通のバターになる。

【結果と解説】

生クリームに含まれる乳脂肪は、タンパク質の膜に包まれた脂肪球として水の中に分散した状態にありますが、激しく振ることで、この脂肪球が破れて乳脂肪同士がくっ付き合い、固まりとなります（それがバターです）。つまり、生クリームからバターへの変化は、脂肪が水中に分散した状態から、水分子が脂肪の中に分散している状態に変化したものです。バターの黄色の色は、牛が食べた草の中に含まれる光合成色素の一種であるカロテンの色です。

普通、水と油は混じりません。これが混じるようにすることをエマルション化、または乳化といいます。エマルションには、O／W型（水中油滴型）とW／O型（油中水滴型）があります。O／W型（水中油滴型）の代表的なものには、牛乳やマヨネーズがあり、W／O型（油中水滴型）の代表はバターやマーガリンです。

石けんや中性洗剤は汚れ（主に油）を落とすことに使用されますが、これは油をO／W型（水中油滴型）にして、水に分散させた状態で洗い落とすというしくみになっています。この石けんに関する実験も別の項で紹介します。

図１　バターが出来た

7　マヨネーズをつくる

マヨネーズを知らない生徒はいないと思います。また、その主な材料が卵ということは知っていても、マヨネーズがどのようなしくみで出来るのかまで知っている生徒は少ないと思います。

バターづくりのところで乳化作用について学びましたが、今回はマヨネーズづくりを通して、さらに乳化について理解を深めましょう。

【準備】

卵１個分の卵黄／サラダ油120cc／酢小さじ１／塩少々／胡椒少々／ボウル／泡立て器

【手順】

①冷蔵庫から出した卵は、室温程度の温度にしておく。
②卵を割り、卵黄と卵白を分離する。
③卵黄、酢、塩、胡椒をプラスチックのボウルに入れ、泡立て器で丁寧に混ぜる。この混ぜ合わせが不十分だと、サラダ油を加えた時に分離しやすくなる。
④サラダ油を加えるが、はじめは数滴程度にし、泡立て器で十分混ぜ合わせる。
⑤残りのサラダ油を少しずつ加えては混ぜ合わせ、それを繰り返す。
⑥すべてのサラダ油を入れ終わる頃には、もっちりしてくる（図１）。
⑦味見をして、酸が強いと感じたら砂糖を少量加え、混ぜ合わせて

完成。

図１　マヨネーズが出来た

【結果と解説】

水と油が混じらないことは誰でも知っています。酢と油も当然混じりません。しかし、卵黄に含まれるレシチンと呼ばれるリン脂質の一種が、本来混じらない酢と油をエマルション化（乳化）させるために、酢と油が混じり合ったマヨネーズが出来るわけです。

レシチンの乳化作用は、10℃以下の低温ではその作用が弱く、18℃前後が最も高くなります。冷蔵庫から出してすぐに使わないのは、これが理由です。

生徒たちは、面倒だから卵黄と酢と油を全部一緒に混ぜてから、一気に泡立て器でマヨネーズを作りたがります。簡単だからです。

しかし、そのようにすれば酢と油は乳化せず、もっちりとした固まりは出来ません。これだけは、注意したいところです。

8 べっこう飴をつくる

べっこう飴とは、砂糖を材料としたお菓子の一種です。べっこう色をしているために、このように呼ばれています。無色透明な砂糖水が加熱によって次第にべっこう色に変化することを、カラメル化反応といいます。このカラメル化反応を利用して、べっこう飴を作ってみましょう。

【準備】

上白糖／鍋／ガスコンロ／布巾／楊枝／アルミカップ／サラダ油

【手順】

①鍋に砂糖を50gと水を30cc入れ、ガスコンロを点火する。

②鍋をコンロに載せて加熱する（ゆっくり撹拌していないと焦げるので注意）。

③約100℃で沸騰が始まり、泡が盛んに出る。105℃で温度上昇がゆるやかになり、しばらくすると急に温度が上昇し始めるので、炎を調節し温度がゆっくり上昇するようにする。温度が110℃くらいに上がるとプツプツという音になり、粘りが出てくる。

④ 120℃くらいになるとカラメルが形成され、色が徐々に褐色になる。飴色になったら火から下ろし、濡れ布巾の上に鍋の底を数秒間つけて温度の上昇を抑え、油を塗ったアルミカップに流し入れる。さらに、楊枝を刺す（図1）。

⑤冷却後、アルミカップを外す。

図１　べっこう飴が出来た

【結果と解説】

べっこうとはウミガメの一種のタイマイの甲羅の加工品のことです。また、黄色から褐色となっています。べっこうは日本ではメガネのフレームや櫛などに加工されて、愛用されています。

砂糖水の水分が蒸発してしまうと、温度は急激に上昇します。120℃を超えるあたりから、飴の色がべっこう色になっていきます。これは飴の中にカラメルという物質が発生したためです。このカラメルは苦味と独特な香りを持っています。カラメルが生成するメカニズムは未だに完全に解明されていませんが、糖が加熱されることで生じるフラン化合物が重合して生じると考えられています。

カラメルと同様に加熱して褐色色素を生じる反応にメイラード反応があります。これは、グルコースなどの還元糖とアミノ酸を一緒に加熱した時に発生する褐色物質（メラノイジン）によるものです。

カラメルを利用した食品には、プリンの上にかけるカラメルがあります。さらに、コーラの裏面にある原材料名にカラメル色素を見つけました。なお、肉や魚を焼いた時に表面に出来る焦げはメイラード反応で、カラメル化反応ではありません。

9 カルメ焼きをつくる

食パンやクッキー、ホットケーキの共通した特徴は何でしょうか。そうです、どれも穴が開いています。

では、その穴はどのようにして出来たのでしょうか。食パンの穴は、焼く前の生地の段階で、生地に加えられた酵母菌の発酵によって発生した二酸化炭素によるものです。

また、クッキーやホットケーキでは、やはり生地に加えられたある化学薬品のはたらきによるものです。

その薬品とは炭酸水素ナトリウムという化学物質です。この薬品の性質をうまく利用したカルメ焼きを作ってみましょう。

【準備】

上白糖／卵白重曹（卵白：重曹：砂糖＝２：６：１〈重量比〉で混ぜる）／お玉／ガスコンロ／布巾／割り箸／温度計

【手順】

①お玉に砂糖を40g入れ、水を15cc入れる。砂糖ははかりを使う。ガスコンロ点火。

②お玉をコンロに載せ、かき混ぜ棒で温度を測りながら加熱する。この時、絶えず撹拌していないと焦げるので注意。なお、かき混ぜ棒は２本の割り箸の間に200℃温度計を挟み、輪ゴムで止めて自作する。温度計より割り箸が少し出るように注意する。

③約 100℃で沸騰が始まり、泡が盛んに出る。105℃で温度上昇が緩やかになり、しばらくすると急に温度が上昇し始めるので、お玉を炎から離してゆっくり温度が上昇するようにする。温度が 110℃くらいに上がるとプツプツという音になり、粘りが出てくる。この後、温度の上昇が早いので温度計に注意し、撹拌時には火傷に注意する。

④ 125℃になったらすぐに火から下ろし、布巾の上にお玉を置く。お玉の中に卵白重曹を大豆粒大程度加え、一気に棒で思いっきりかき混ぜる。

⑤ 20 秒ほどで、カルメが膨らんでくるので、そっと真ん中から棒を抜く。このタイミングが最も難しい。盛り上がり始めて 10 秒くらいで盛り上がりは終わる（図 1）。

⑥冷却後、お玉の底を火にかざし、カルメとお玉の接触部を溶かしてからお玉を逆さまにして軽く叩くと紙の上に落ちる。

図 1　カルメ焼きが出来た

【結果と解説】

カルメ焼きは、炭酸水素ナトリウムの熱分解を利用したものです。炭酸水素ナトリウム水溶液は、65℃以上で急速に分解していきます。その時の化学反応式を下に示します。

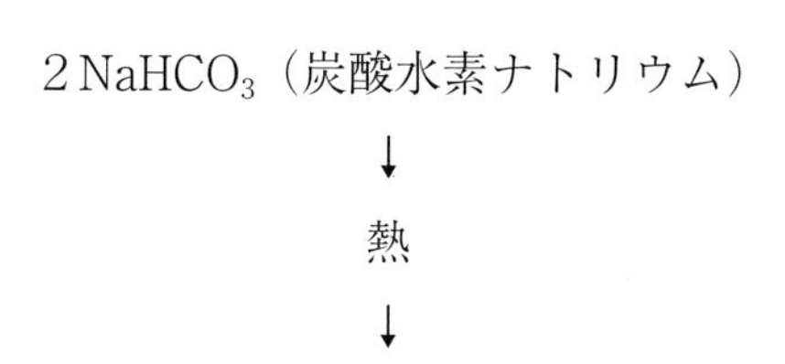

上の化学反応式に見られるように、炭酸水素ナトリウムは熱を加えられると、気体の二酸化炭素と水、それに炭酸ナトリウムに分解されます。

クッキーなどの生地がオーブンなどで加熱されると、生地の中に二酸化炭素が発生し、それによって生地に穴を発生させるわけです。

同じように、溶けた砂糖に炭酸水素ナトリウムを加えると、溶けた砂糖の中に二酸化炭素が発生し、細かな穴が生じます。

こうして出来上がったのが、カルメ焼きです。ちなみにカルメとは、ポルトガル語の「甘いもの」という意味のようです。

実際に生徒が作る場合、１回目はほとんど失敗です。しかし、２回目、あるいは３回目となると見事なカルメ焼きを作ってくれます。

コツは砂糖の温度をしっかりと測ること。次に、重曹は卵白重曹を使うことのようです。

10 ポップコーンをつくる

遊園地での定番お菓子といえば、ポップコーンです。材料がトウモロコシだということは知っていても、ポップコーンマシンから次々出てくるポップコーンがどのようにして出来上がるかなんて、考える人は少ないと思います。それでは、今回はポップコーンを作って、その出来るしくみを学びましょう。

図1　ポップコーンが出来た

【準備】

ポップコーン原料豆／食用油／塩／フタのある鍋

【手順】

①フタ付きの鍋にコーンが重ならない程度に並べる。

②コーン全体に浸るくらい、食用油を入れておく。この段階で好みの量の食塩を入れておく。

③フタをした鍋を弱火から中火にかける。コーンが弾け出したら焦げつかないように鍋を左右にゆする。この段階でバターを入れてもよい。

④やがて、ポンポンと一斉にコーンが弾ける音がする。音がしなくなったら鍋を火から下ろし、完成（図1）。

【結果と解説】

私が子供の頃は、ポン菓子屋がその辺の空き地にやって来て、ポン菓子を作っていました。私たちの地域ではポン菓子のことを「バクダン」と呼んでいました。2～3合の生米が何倍もの量になるのがおもしろく、結構食べていました。さて、このポン菓子とポップコーンの原理は同じです。ポン菓子では、熱した窯の中は大気圧の10倍程度の高圧となっています。これを急に大気圧に戻すと、米の中の少しの水分が膨張し、生米が数倍になって膨らむというわけです。

ポップコーンではどうでしょうか。ポップコーンを作るためのトウモロコシの種類は、普段、私たちが食べている種類とは異なり、小粒で種皮が固いものを使用して作るのですが、ポップ種とか爆裂種などと呼ばれています。この爆裂種を油を入れたフライパンなどに敷きつめ、加熱すると種子の中の水分が水蒸気という気体に変化します。気体は体積が大きいため、種子内の圧力はどんどん高まっていきます。

普通のスイートコーンでしたら、種皮が薄いために水蒸気が種子から逃げてしまい、デンプンは膨らみませんが、爆裂種は前述の通り、種皮が厚いため内部の圧力がどんどん高まっていき、限界まで達した時に種皮が急に裂け、内部の膨張したデンプンが出てくるのです。

11　フルーツゼリーをつくる

スーパーなどで売っているゼラチンを使ってフルーツゼリーを作る場合、次のような注意書きがありました。

「生のパイナップル、パパイヤ、キウイなどを入れると、固まらないことがあります」

これは、どういったことでしょうか。

ゼリーの原料やパイナップル、パパイヤ、キウイについて学ぶ必要があるようです。

【準備】

水 100cc ／粉末ゼラチン４g ／キウイフルーツ適量

【手順】

①水 100cc に粉末ゼラチンを４g 加えて徐々に加熱し、60℃くらいでやめる。沸騰させてはいけない。

②溶解したゼラチン溶液を 50cc ずつ半等分する。

③それぞれに、生のキウイフルーツと 100℃で煮たキウイフルーツを加える。

④冷蔵庫（10℃以下）で十分冷やし、固める。

⑤両者を比較する（図１、図２）。

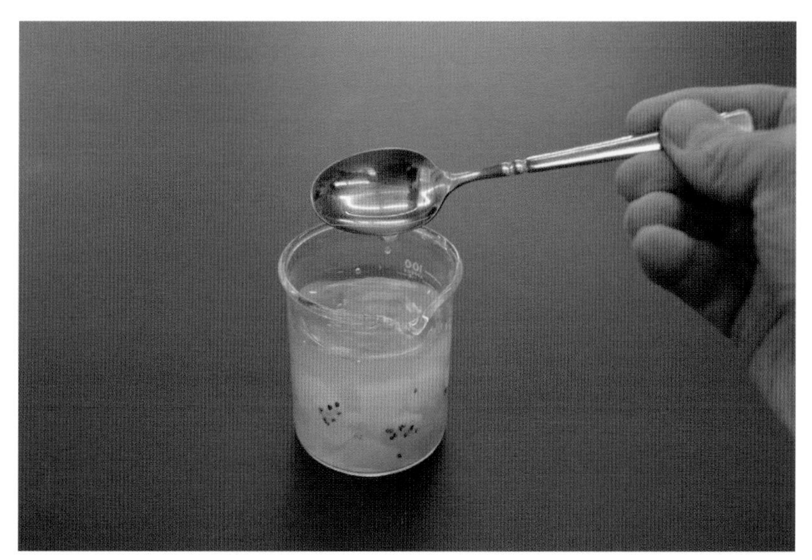

図１　生のキウイを使った場合（固まっていない）

図２　煮たキウイを使った場合（固まっている）

【結果と解説】

ゼラチンの原料は、動物の皮膚、骨、腱に見られる結合組織に含まれるコラーゲンと呼ばれるタンパク質です。

しかし、このままでは、ゼラチンにはなりません。コラーゲンに熱をかける必要があります。熱によってコラーゲンの持つ三重らせん状の立体構造が変化し、ゼラチンとなります。

身近には、カレイなどの魚を砂糖や醤油を加えて煮た煮汁が、翌日固まっていることがあります。これを煮凝りといいますが、煮凝りとは、コラーゲンがゼラチンに変化したものです。

コラーゲンの状態で活用されるより、ゼラチンに加工して活用されることが多いようです。例えば、食用ゼリーや薬のカプセルにもゼラチンに加工したコラーゲンが使用されています。

ところで、パイナップルやパパイヤ、キウイに含まれ、ゼリーを固まらせない成分とは何でしょうか。それは、タンパク質を分解する酵素です。酵素が固化を妨げるのです。ゼラチンの成分はタンパク質であることはすでに学びました。このタンパク質が酵素のはたらきによって分解されると、ゼラチンの持つ「温めると溶け、冷やすと固まる」という性質が失われてしまうのです。

パイナップルなどタンパク質分解酵素を含むフルーツを使う場合には、タンパク質分解酵素のはたらきをなくす必要があります。酵素は加熱するとそのはたらきを失うことを、生徒は知っています。つまり、上の手順で熱を加えたのは、酵素を失活させるためだったのです。

12 豆腐をつくる

豆腐の原料が大豆であることは、多くの人が知っていると思います。しかし、大豆がどのような過程で豆腐になるのか、どのようなしくみで豆腐が出来上がるのかまで知っている人は少ないのではないでしょうか。今回は、実際に大豆から豆腐を作り、その原理まで学びましょう。

【準備】

大豆／にがり／鍋／木べら／布／ザル／ボウル／計量カップ／スプーン

【手順】

①大豆 50 g を 100ml の水の入ったボウルに入れ、12 時間ほど浸す。
②十分水を吸った大豆を 100ml の水とともにミキサーに入れ、クリーム状に破砕する。これを呉という。
③呉を鍋に移し、水 100ml を加えて強火で加熱する。沸騰し泡が出てきたら弱火にし、10 分間加熱する。
④加熱後、別の鍋にザルと布を用意し、加熱した呉を分離する。鍋にろ過されたものが「豆乳」で、布に残ったものが「おから」である。
⑤豆乳に 1 ml のにがりを加え、木べらを使ってかき混ぜると、白い固まりが出来始める。この状態で 15 分ほど放置する。このプリン状の豆腐を「おぼろ豆腐」と呼ぶ。市販の豆腐は、内側に布を敷いた型におぼろ状の豆腐を入れ、フタをして重石をかけて余分な水分を除き、完成（図 1）させる。

図１　豆腐が出来た

【結果と解説】

実際に実験を行う前に予備実験を行いました。市販の豆乳を温め、にがりの成分である塩化マグネシウム液を加えると、豆乳にどんな変化が起こるかを観察する実験です。

結果は、多くの生徒が予想した通り、豆腐が出来たのでした。つまり、大豆から作った豆乳ににがりを混ぜれば豆腐が出来るわけです。大豆から豆乳を作ればよいわけです。豆乳の成分とにがりの成分を明らかにし、それらが混ざるとどのような化学反応が起こるのかを調べてみましょう。

豆乳の成分は、主に水に溶けやすい状態のタンパク質です。大豆のことを「畑の肉」と呼ぶのは、こうした理由からです。また、にがりの主な成分は塩化マグネシウムです。以前は、海水を煮詰めて塩を作った後に残った残留物をにがりと呼びました。豆乳のタンパク質と塩化マグネシウムが混ざり合うと、これまで水に溶けていたタンパク質がマグネシウムイオンのはたらきで、タンパク質同士が結合し、固まって豆腐となるのです。

13 黒糖をつくる

修学旅行で沖縄に行くと、ああ沖縄らしいと感じるのは、やはりその風景や食べ物です。

沖縄らしい食べ物に「サトウキビ」があります。形はちょうどトウモロコシの茎のようです。そのままかじってもおいしいのですが、やはりジュースにしたほうが食しやすいと思います。

さて、このサトウキビジュースを煮詰めたものが黒糖と呼ばれるものです。今回は、この黒糖づくりにチャレンジします。

【準備】

サトウキビ／ミキサー／鍋／木べら／ガーゼ

【手順】

①サトウキビの外側の硬い皮の部分を剥き、内部の柔らかい部分を２～３cm 程度に切る。
②ミキサーに水と①の切ったサトウキビを入れ、さらに細かく砕く。
③砕いたサトウキビをガーゼで水分としぼりカスに分ける。
④しぼり汁を鍋に移し、強火で加熱し水分を飛ばす。水分がなくなったら出来上がり（図１）。

図１　黒糖が出来た

【結果と解説】

砂糖が日本に入ってきたのは奈良時代の８世紀、唐の僧「鑑真」によるとされています。その当時、砂糖は薬用品で、調味料ではなかったようです。大変貴重なもので、庶民には遠く手の届かないもののようでした。そのため、庶民は果実や水飴などで甘さを楽しんでいたようです。

国産の砂糖は、薩摩など暖かい地方で栽培されたサトウキビから作られました。江戸時代の江戸では、砂糖は庶民でもたやすく入手できるようになり、菓子や調味料として盛んに使われていました。

現在は、甘いもので溢れています。砂糖の取りすぎが心配される時代です。さて、砂糖にはどんな種類があるのでしょうか。大きく分けるとサトウキビのしぼり汁をそのまま煮詰めた「含蜜糖」とサトウキビの甘い成分（ショ糖）だけを取り出した「分蜜糖」に分けられます。

黒糖はもちろん含蜜糖に分類され、上白糖などは分蜜糖に分類されます。黒糖には、甘味成分の他に多くのミネラル成分が含まれています。

砂糖は、サトウキビだけから作られるわけではありません。サトウダイコン（甜菜）からも作られます。サトウダイコンは主に北海道などで栽培されており、その砂糖の名前は「甜菜糖」と呼ばれています。

14 ウメジャムをつくる

私の生まれ育った山形県の置賜地方では、梅雨の時期に、青梅から「たたきウメ」を作ります。普通の梅干しは、丸のままのウメを塩漬けする工程から始めるのですが、置賜地方では、丸のウメを包丁で小さくたたき、ガラスのビンに入れ、それに塩と紫蘇を入れて漬けるのです。丸のウメと違って、包丁が入るのでカビやすいのが難点です。種の周囲に残ったウメの果実は、たくさんの砂糖と一緒に煮て、子供のおやつとなります。甘く酸っぱいウメジャムはとてもおいしかったことを思い出します。ところで、ジャムにはイチゴジャムやリンゴジャムなどがありますが、いずれもドロッとしています。これには何か科学的な理由があるはずです。実際にジャムを作って、ジャムを科学してみましょう。

【準備】

完熟ウメ 1 kg／グラニュー糖 300g／鍋／ザル／楊枝／割り箸／スプーン

【手順】

①ウメ 1 kg はよく洗って、一晩たっぷりの水に浸けてアクを抜く。ザルに上げて、楊枝等を使ってヘタを取り除く。

②鍋にウメを入れ、かぶるくらいの水を入れ煮る。ウメが軟らかくなったらザルに上げ、水気を切る。

③ウメを四等分し 75 g のグラニュー糖を鍋に入れ、割り箸でかき混ぜながら弱火で煮詰める（アクはスプーンで丁寧に除く）。

④程よい硬さに煮詰まったら火から下ろす（焦がさないように注意）。

⑤無添加のウメジャムの完成（図1）。

図1　ウメジャムが出来た

【結果と解説】

植物細胞と動物細胞の違いの１つに、細胞壁があります。植物細胞の最も外側に位置し、植物細胞の形の維持に役立っています。その主な成分はセルロースと習いますが、その他にペクチンと呼ばれる成分も含んでいます。このペクチンは細胞同士をつなぎ合わせる「セメント」のようなはたらきを持つ多糖類の一種です。その証拠に、ペクチンを分解する酵素（ペクチナーゼといいます）で植物組織を処理すると、細胞はバラバラになってしまいます。

このペクチンが、ジャムづくりに最も大事な役割を果たすのです。ペクチンは、酸や糖と一緒に煮ると、ゲル（ゼリー状のもの）化する性質を持っています。ウメやイチゴ、リンゴの果肉に糖を加えて煮ると、細胞の中に含まれる酸と反応してゲル状のジャムとなるわけです。

ペクチンは、私たちの健康を維持する食物繊維としてもはたらきます。ペクチンは整腸作用があり、下痢や便秘を予防するはたらきの他に、血中のコレステロールの値も下げる効果が期待されています。

第2章

化学に関連した実験

15 酵素でお絵かき

アミラーゼは、デンプンに作用してマルトースとデキストリンに分解する酵素の一種です。

デンプンはグルコースが鎖状に多数結合した多糖類で、コメやムギなどの穀物やジャガイモやサツマイモなどに多量に含まれています。デンプンにヨウ素ヨウ化カリウム溶液を加えると青紫色に変色します。

これらを利用して、デンプンを寒天で固めたキャンバスに自由に文字や絵を描いてみましょう。

【準備】

１％可溶性デンプン／寒天末／３％アミラーゼ溶液／シャーレ／ろ紙／ヨウ素ヨウ化カリウム溶液（ヨウ素 0.3g ＋ヨウ化カリウム 1.5g ＋純水 100ml）

【手順】

①１％可溶性デンプン溶液に１％の濃度で寒天末を入れ、加熱する。寒天が溶けたら、シャーレに厚さ１mm 程度に流し固める。

②※消化酵素剤３g を乳鉢内で砕き、水 100ml に溶かして３％アミラーゼ液を用意する。

③２枚のろ紙にそれぞれ同じ下絵を描き、ハサミを使って下絵通りに切り抜く。

④切り取ったろ紙の１枚は、ピンセットで３％アミラーゼ液に入れ、

余分な酵素液を除きデンプンを含む寒天に静かに置く。他の１枚は、アミラーゼを含まない純水に入れ、同じようにデンプン寒天の上に置く。

⑤ 10分ほどそのままにしておく。

⑥ 10分ほど経過したら、２枚のろ紙をピンセットを使ってデンプン寒天から除き、次にデンプン寒天全体にヨウ素ヨウ化カリウム溶液を静かに流し、余分な液は捨てる。

⑦結果を次ページに図示する。青い部分は青の色鉛筆で塗り、青くない部分はそのままにする。また、なぜそのようになったかの理由も考えること。

※今回は、消化酵素剤として第一三共ヘルスケア株式会社の新タカヂア錠を使用した。この錠剤12錠には、タカヂアスターゼN1が600mg含まれている。

【結果と解説】

図１は生徒の作品です。左は酵素液を使用したもので、右は対照実験の純水を使用したものです。酵素を含むろ紙を置いた部分では変化は見られませんが、それ以外の部分は青くなっています。対照実験では、左のような変化はなく、全体が青くなっています。

生徒は、生物基礎において酵素の性質について「酵素とは、それ自身は変化せず、化学反応の速度を著しく促進する触媒の一種である」と学習しています。

また、消化酵素の種類として、デンプン分解酵素であるアミラーゼや、タンパク質分解酵素であるペプシンなども学習しています。

さらにデンプンは、グルコースという単糖類が多数結合した多糖類であることも、中学校で学習済みです。

これらの知識があれば、アミラーゼを含むろ紙の下の部分のデンプンが酵素のはたらきによって分解されたため、ヨウ素デンプン反応では青変しなかったことや、一方、純水ではろ紙の下のデンプンは分解されないので、ヨウ素デンプン反応によって青変したことが理解できます。

これとは異なるやり方として、ろ紙の代わりに綿棒を使う方法もあります。清浄な綿棒を口の中に入れ、だ液を十分含ませます。その綿棒を使って同じようにデンプン寒天の表面に好きな字などを書かせるというやり方も行ったことがありますが、生徒にとって自分のものであってもだ液を使う実験には抵抗があるようで、最近はこの消化酵素剤を使用しています。

図１　酵素でアート

16　石けんをつくる

普段、手などを洗うために使う石けんですが、何を材料とし、どのように作られているかまで知っている人は少ないのではないでしょうか。

石けんの歴史はとても古く、紀元前3000年頃、メソポタミアのシュメールが粘土板に石けんの作り方を記しています。その当時は、薬用として使用されていたようです。サラダ油を材料として石けんを作り、石けんを使うとどうして油汚れが落ちるのか、そのしくみも学びましょう。

【準備】

サラダ油／水／水酸化ナトリウム／500mlペットボトル／メスシリンダー／ポリ袋／ビニールテープ／輪ゴム

【手順】

①メスシリンダーに水道水を30ml取り、ペットボトルに入れる。

②ペットボトルの中に15gの水酸化ナトリウムを３回に分けて入れる。水酸化ナトリウムを入れると、かなりの熱が発生するので、水道水で冷やしながら溶かす。この時、振ったりしないで底を回すように撹拌する（水酸化ナトリウム溶液が手につかないように注意する）。

③すぐに、サラダ油100mlを量り、ペットボトルに入れる。

④しっかりフタをして、ビニールテープをフタの部分に巻き付ける。

⑤ポリ袋でペットボトルを包み、輪ゴムでしっかりと閉じる。

⑥上下にグシャグシャと振る。次第に濁り、さらに振り続けるとポ

タージュスープ状になる。30分間振るが、疲れたら途中休んでもよい。時間の経過とともに次第に粘度が高まる。撹拌が不十分だと、上層に透明な油の層が現れるが、その時はさらに振る。

⑦ 30分後、ポリ袋に日付を書き、約1月保管する。

⑧ 1月経過したら、ペットボトルを切り、中の石けんを取り出す。

⑨ 使用前に石けんのpHを測定し、極端にアルカリ性でないことを確認してから、実際に使用してみる。

※短時間で石けんを作るには加熱する方法がある。この方法では、油脂と水酸化ナトリウムを加え30分間撹拌後、1ヵ月放置することで、ケン化が常温でゆっくり進む。

【結果と解説】

この方法による石けんづくりには、およそ1カ月を要するので、この実験は夏休み直前に行っています。夏休み明けに、ペットボトルから石けんを取り出しています。図1は生徒が作った石けんですが、真っ白でかなり硬いものです。香料は入れていないため、市販の石けんのような香りはありません。実際に使ってみるとよく泡立ち、十分使えました。

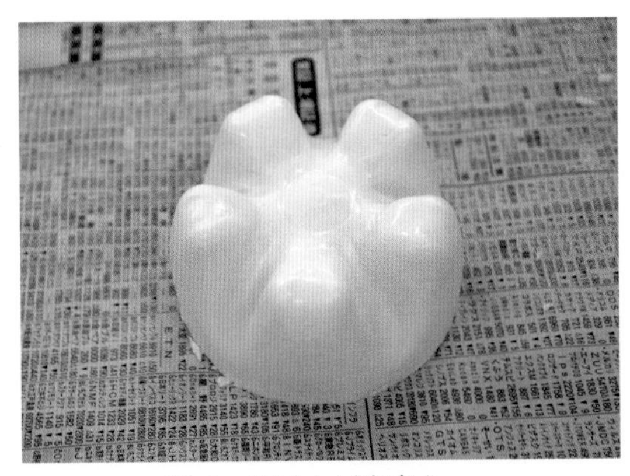

図1　石けんが出来た

洗剤で油汚れが落ちるのはなぜでしょうか。汚れ落としの大原則というのがあります。それは「極性が近いもので落とす」ということです。水道の水を細く流し、その流れに摩擦したプラスチック下敷きを近づけると水は下敷きに引き寄せられます。一方、同じことを油でやると下敷きに引き寄せられません。これは、水は極性が大きく、油は極性が小さいからです。極性が異なるもの同士は混じりませんから、水で油汚れを落とすことはできません。そこで、登場するのが、界面活性剤と呼ばれる洗剤です。

界面活性剤（洗剤）の構造とはたらきを見てみましょう。界面活性剤の構造は、親水基（水と結合しやすい）と疎水基（油と結合しやすい）という２つの性質の異なる部分を持ちます。汚れのほとんどは油ですから、汚れに洗剤の疎水基が結合します。親水基のはたらきで汚れを生地などから浮かし、水中に散らばった状態にします。あとは、すすぎを行えば終了です。

今でこそ合成洗剤は身近なものになりましたが、合成洗剤はいつ、どのようにして開発されたのでしょうか。その歴史を調べてみましょう。初めて合成洗剤が作られたのは、第一次世界大戦中のドイツにおいてでした。ドイツ国内では、戦争のため食用油が不足し、石けんが作られなくなったことが背景にあるようです。また、1938年に現在と同じアルキルベンゼンスルホン酸塩が開発されました。第二次世界大戦中は石けんの材料のヤシ油が不足するという状況から、合成洗剤が脚光を浴びるようになったという歴史があります。

ところで、石けんと合成洗剤の見分け方はとても簡単です。泡立てた石けんと合成洗剤の液体に少量のお酢を入れ、泡が消えれば石けん、消えなければ合成洗剤です。石けんは油とアルカリが結合したものなので、酸性のお酢を加えることで石けんが分解され、白い脂肪酸が出てきます。この時、石けんの持つ界面活性剤の性質も消失するので、泡が消えるのです。

17 ホッカイロをつくる

寒い季節になると、人は帽子や手袋、マフラーなどを身に着けます。また、温かい飲みものが欲しくなります。

近年、発熱するカイロが北国では必需品となっていますが、私が小さい頃のカイロといえば、ベンジンカイロでした。手のひらに乗る程度の大きさで、外部は金属で、ベンジンの匂いがしました。両親はよくこのカイロを使っていたようです。ベンジンカイロは現在も販売されていると聞いて、驚きました。今回は、このベンジンカイロではなく、普段皆さんが使用している使い捨てカイロを科学します。

1．使い捨てカイロを調べる

【準備】

市販の使い捨てカイロ／磁石／ペトリ皿／ピンセット

【手順】

①カイロを開封し、中身をガラスのペトリ皿に取り出し、ピンセットを使って観察する。

②中身の一部を紙の上に置き、紙の下に磁石を近づけてみる（図1）。

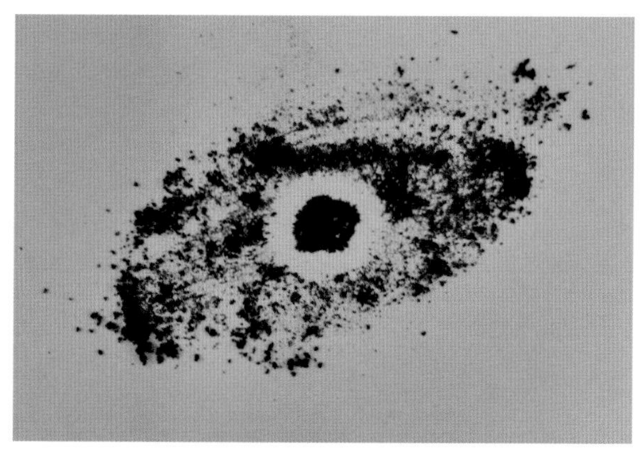

図１　鉄の粉が丸い磁石の上に集まっている

2．使い捨てカイロを作ってみる

【準備】

鉄粉／塩／水／バーミキュライト／お茶パック／ファスナー付きポリ袋／温度計／はかり／メスシリンダー

【手順】

①５gの食塩を95mlの純水に溶かし、５％の食塩水を作る。

②ポリ袋の中に５mlの①の食塩水と５gのバーミキュライトを入れ、袋の中でよく混ぜる。

③ 20gの鉄粉が入ったお茶パックを②のポリ袋に入れた後、ポリ袋をよく揉む（袋の口は開けておき、外部の空気が袋の中に入るようにする）。

④ポリ袋の外側を手で触れ、温度の変化を確認する。さらに、内部の温度を温度計で測定してみる（図２）。

⑤ポリ袋の中の空気を出してファスナーを閉め、温度の変化を確認する。

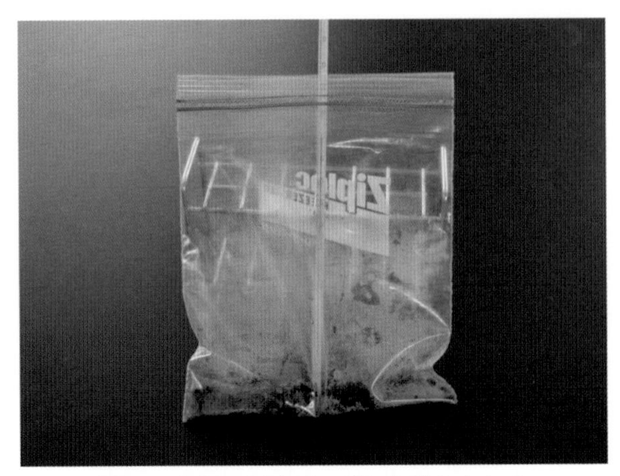

図２　内部の温度は 50℃を超えました

【結果と解説】

カイロの中身に磁石を近づけると、磁石に引き寄せられます。つまり、黒い物質は鉄であることがわかります。

カイロの発熱には鉄の酸化反応が関係しているのです。この時の発熱反応は次のようになります。

鉄 ＋ 酸素 ＋ 水 → 酸化鉄 ＋ 熱（1 mol 当たり 96kcal）

鉄の酸化反応は鉄が錆びることと同じです。

錆びる現象でも熱が発生しますが、徐々にであるため、普通は熱として感じません。しかし、カイロでは食塩水などを使うことで酸化の速度を上げ、熱を感じるようにしているのです。

ちなみに、カイロには鉄粉や食塩水の他に、活性炭や保水材が使われています。鉄もクギのような状態ではなく、粉末を使うことで表面積が大きくなり、酸化の速度が上がります。

18　ダイオキシンの科学

1980年頃の高校には、体育館の裏などに小規模の焼却炉が設置されており、教室から出た燃えるゴミは、そこで燃やされていました。しかし、その後、各学校の焼却炉は撤去されています。

理由は、低温で塩化ビニルなどを燃やすと有毒なダイオキシンが発生するからです。

ダイオキシン発生の原因となる、可燃性塩素を含む物質を明らかにして、有機ゴミと一緒に燃やしてはいけないものを区別しましょう。

【準備】

２種類のラップ／スーパーのレジ袋／電気コードの被膜／塩ビ管／絶縁テープ／ペットボトル／発泡スチロールのトレイ／銅の棒／アルコールランプ

【手順】

①銅の棒をアルコールランプで十分加熱する。

②試料を銅の棒に少量つける。

③再び銅の棒をアルコールランプの炎に入れて色の変化を調べ、緑色の炎色反応が（図１）あれば、可燃性塩素が含まれていると判断する。

図１　緑色の炎色反応

【結果と解説】

表１

試料名	判定
クレラップ（クレハ）	有
オカモトラップ	無
スーパーのレジ袋	無
電気コードの被膜	有
灰色の塩ビ管	有
ビニールの絶縁テープ	有
ペットボトル	無
発泡スチロールのトレイ	無

有：塩素を含む

無：塩素を含まない

表1からわかるように、同じラップ類でも、塩素を含むものと含まないものがあります。

ラップに含まれる塩素系の物質は、ポリ塩化ビニリデンです。スーパーのレジ袋の材質はポリエチレンで、発泡スチロールはポリスチレンです。いずれも可燃性塩素は含みません。一方、塩化ビニルを材質としている電気のコード、水道管などに使われている灰色の塩ビ管、いろいろなカラーがある塩ビの絶縁テープは可燃性塩素を含みます。紙ゴミなどと一緒に低温で燃やすとダイオキシンが発生します。

ところで、ダイオキシンという単一な化学物質はありません。正しくはダイオキシン類という呼び方をします。ダイオキシンの仲間を挙げてみましょう。ポリ塩化ジベンゾパラジオキシン、ポリ塩化ジベンゾフラン、コプラナー PCB などです。これらは、ゴミの焼却時、塩素によるパルプの漂白時、農薬の製造時などに生成されます。

ダイオキシン類の毒性を知ることができる最も有名なものといえば、ベトナム戦争で使われた枯葉剤（除草剤）に副生物としてダイオキシン類が含まれていたことで、多くの兵士にさまざまな健康被害が発生したことです。

また、日本においても、カネミ油症事件がよく知られています。食用油を製造する過程において、誤ってダイオキシン類が油に混入し、それを食べた人や胎児に健康被害が発生したという中毒事件です。

ダイオキシン類の毒性に関しては、「青酸カリよりも毒性が強く、人工物質では最も強い毒性を持つ物質である」と言われることもあるほど、猛毒です。

ダイオキシンの毒性の1つに発がん性が挙げられます。その他に、動物実験において催奇形性も認められていますし、生殖機能や甲状腺機能の低下も認められています。しかし、現在は、多くの法律によってダイオキシン類が発生しないような措置が取られているため、以前ほど過度に心配する必要はなくなりました。

19 スライムをつくる

英語の slime はドロッとした液状のものを意味します。このスライムに初めて触れた人は、その不思議な感触に驚いたことでしょう。似たようなものが身近で見つからないためです。このスライムは 1985 年、第８回科学教育国際会議において、マイアミ大学の A.M. Sarquis 氏が初めて日本に紹介しました。その後、小学校などでの理科教材として広まりました。今回は、スライムを作り、あのドロドロしたものがどのようにして出来るのかの原理も学びましょう。

【準備】

ホウ砂（眼の消毒に使われる薬品）／ポリビニルアルコール（PVA と略され、合成洗濯糊の成分）／紙コップ／割り箸／ 100ml メスシリンダー／ 50ml ビーカー／はかり

【手順】

① 96ml の水に４g のホウ砂を溶かし、４% ホウ砂水溶液を作る。

②紙コップに PVA の洗濯糊 20ml と水 30ml を混ぜ、PVA 水溶液 50ml を作る。この時、冷水でなく、湯を使うと次の反応がうまくいきやすい。使う水は食紅で着色してもよい。

③ PVA 水溶液を割り箸でかき混ぜながら、ホウ砂水溶液を少しずつ加えていく（容積比で 10：１程度）。

④手で触って、べとつかなくなるまで割り箸でよく混ぜて完成（図１）。

図1　スライムが出来た

【結果と解説】

はじめにスライムの材料からみてみましょう。ホウ砂とは、四ホウ酸ナトリウムの十水和物が正式な名称です。水に溶けるとホウ酸とホウ酸イオンになります。ポリビニルアルコールは $\left[-CH_2-\underset{\displaystyle OH}{\underset{|}{CH}}-\right]_n$ で表され鎖状の構造を持つことが特徴です。

では、この2種類の化学物質を混合するとどのような変化が起こるのか、見てみましょう。水中でPVAとホウ砂が混じり合うと、ホウ砂が鎖状のPVAを結び付けて、水を抱え込んだ網目状の構造を作るためと考えられています。

次に、スライム独特のネバネバの理由について見てみましょう。このしくみはあまりよくわかっていないようです。スライムはコンニャクやゴムのように伸ばすことができます。つまり、固体の性質を持ちますが、実験台の上に置いたりすると、ゆっくりと流れていきます。このように、液体の性質も持っています。つまり、スライムが固体と液体の両方の性質を持っているため、あのようにネバネバしていると考えられています。固体になったり液体になったりするのは、PVA同士を結び付けているホウ砂のはたらきにあるようです。

20　冷え冷え剤をつくる

体育祭の時でした。生徒の一人が足を強く打って、救護室に運ばれてきました。養護の先生は、救急バッグから何やら袋状のものを取り出し、こぶしでその袋を叩き始めたのでした。その後、その袋を患部に当てがっていました。あの袋は、患部を冷やす冷却剤であることがわかりました。袋を叩くと冷える。袋の中身はどうなっているのでしょうか。今回は、冷え冷えパックの中身を調べ、これと同じものを作ってみましょう。

【準備】

冷え冷えパック／尿素／硝酸アンモニウム／チャック付きポリ袋（大・小）／水／はかり／メスシリンダー

【手順】

①尿素と硝酸アンモニウムを35ｇずつ量り、大きいほうのポリ袋に入れて、よく混ぜ合わせる。

②メスシリンダーを使って、純水35mlを量り、小さいほうのポリ袋に入れる。この時、空気が入らないようにする。

③薬品の入った大きいほうのポリ袋の中に、水の入った小さいポリ袋を入れる。

④大きいポリ袋の空気を除き、チャックをしっかり締めた後、液が漏れないように口の部分を折り返し、ガムテープで貼って完成させる（図１）。

⑤ポリ袋を机の上などに置いて小さい袋の部分を強く叩き、中の水を出す。

⑥袋を持って冷却されていることを確認し、温度も測る（図1）。

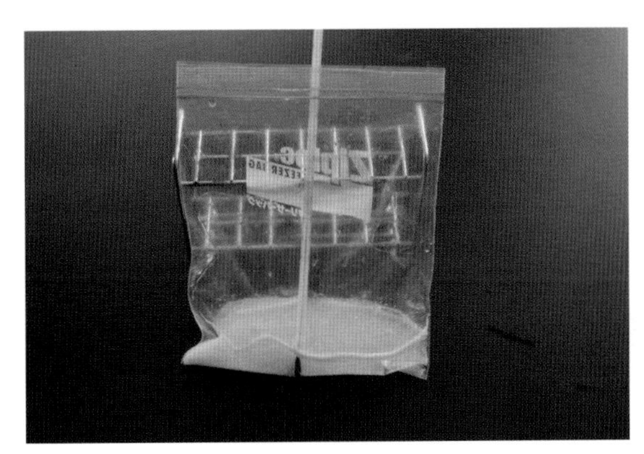

図1　温度は0℃まで下がった

【結果と解説】

冷え冷えパックの成分を見てください。尿素、硝酸アンモニウム、水とあります。これらが化学反応を起こし、冷たくなったのです。さらに、詳しく見てみましょう。

化学反応にともなって発生したり吸収したりする熱のことを、反応熱といいます。反応する前と後では、エネルギーの差が生じます。この差が熱として現れます。熱を発生する反応を発熱反応、熱を吸収する反応を吸熱反応と呼んでいます。尿素や硝酸アンモニウムが水に溶ける反応は吸熱反応ですので、反応後に温度は下がります。

発熱反応のほうを見てみましょう。冷えた駅弁を温めることなどに使われている反応です。成分は生石灰とも呼ばれる酸化カルシウム（CaO）という薬品が使われています。酸化カルシウムは水と反応すると水酸化カルシウム（$Ca(OH)_2$）となりますが、この時、熱が発生します。駅弁でひもを引くというのは、この酸化カルシウムと水を混ぜるためです。

21 炭酸水をつくる

私が小さい頃、簡単にソーダ水を作る粉末が売られており、家でよく飲んでいました。

コップの内側には、たくさんの気泡がついていたのを記憶しています。あれは、二酸化炭素だったのですね。

今ではいろいろな炭酸飲料が売られ、飲まれています。今日は、炭酸水を科学します。

【準備】

重曹／クエン酸／水／炭酸用ペットボトル

【手順】

①炭酸用ペットボトルに、クエン酸１ｇと水 100ml を入れて十分溶かす。全部溶けたら重曹 1.3ｇを粉末のまま入れて（最初に重曹を溶かさないのは、重曹が水に溶けにくいから）、ペットボトルのフタを締める。なお、炭酸用ペットボトルに入れるクエン酸と重曹の量は３ｇまでにする（５ｇ以上になると破裂の危険があるため）。

②一瞬にして泡が発生して、炭酸水になる（図１）。香料や甘味料を入れると市販の清涼飲料水となる。

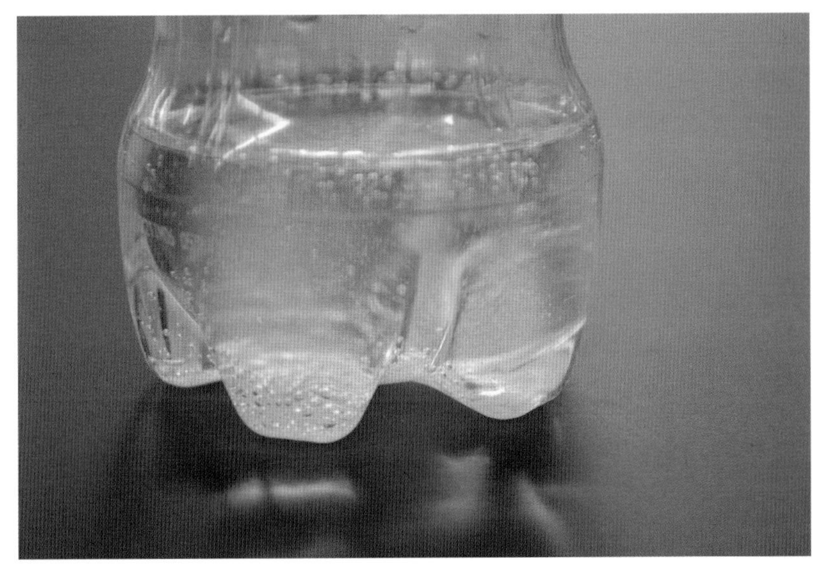

図１　炭酸水が出来た（泡は二酸化炭素）

【結果と解説】

二酸化炭素は重曹とクエン酸の化学反応によって発生します。

もう少し詳しく見ていくと、クエン酸と重曹が混合すると、酸（クエン酸）とアルカリの中和反応が起こります。その結果、重曹の中の炭酸イオンから二酸化炭素が発生するというわけです。この方法は、1796年ジョセフ・プリーストリーによって報告されました。重曹（炭酸水素ナトリウム）とクエン酸の化学反応を見てみましょう。

炭酸水素ナトリウム＋クエン酸→クエン酸ナトリウム＋二酸化炭素＋水

これを化学反応式で表すと、次のようになります。

$$3NaHCO_3 + C_6H_8O_7 \rightarrow Na_3C_6H_5O_7 + 3CO_2 + 3H_2O$$

この化学反応式を正しく理解すると、次のような問題も解くことができます。

【問題】

重曹１ｇと何ｇのクエン酸を混ぜれば、過不足なく反応し、どれくらいの量の二酸化炭素が発生するでしょうか。

化学反応式の量的な関係

	$3NaHCO_3$	+ $C_6H_8O_7$ →	$Na_3C_6H_5O_7$	+ $3CO_2$	+ $3H_2O$
物質量	３モル	１モル	１モル	３モル	３モル
質量（g）	252	192	258	132	54

各原子量は、炭素＝12／酸素＝16／水素＝１／ナトリウム＝23を使用します。

重曹１ｇと反応するクエン酸の量は、

252 : 192 ＝ １: x　を計算すると、x ＝ 0.76

0.76ｇのクエン酸を必要とします。

重曹１ｇから発生する二酸化炭素の体積（０℃、１気圧での二酸化炭素１モル体積は、22.4 L）は、

252 : 67.2 ＝ １ : x　を計算すると、x ＝ 0.266

266ml の二酸化炭素が発生します。

22 木炭電池をつくる

電池を初めて発明した人は、イタリアの物理学者であるアレッサンドロ・ボルタです。1799年にボルタの電堆を考案し、1800年にはボルタの電池を考案しました。彼の発明によって、これまで静電気など利用できない電気ではなく、流れる電気（電流）として利用できるようになりました。今回は、身近な材料を使って電池を作ってみましょう。

【準備】

備長炭／食塩／アルミ箔／ペーパータオル／水／導線／モーター／ビーカー／クリップ

【手順】

① 300mlのビーカーに100ml程度の水を入れ、さらに食塩を加え、濃い食塩水を作る（撹拌し、ビーカーの底に溶け残る程度の濃さ）。
②①で作った食塩水にペーパータオルを浸す。
③ペーパータオルを備長炭に巻きつける。
④ペーパータオルの上に、アルミ箔を巻きつける。
⑤図１のように導線とモーターをつなぐ。

【結果と解説】

ボルタの電池のしくみを簡単に説明します。亜鉛板と銅板を希硫酸の中に入れ、２つの金属板を導線でつなぎます。すると、銅板の表面から細かな水素ガスが発生します。

これは、亜鉛板から出た電子が導線を通って銅板に移動し、銅板の表面で電子が水素イオンに与えられたため、水素ガスが発生しました。この時、導線のかわりにモーターや豆電球をつなぐと回ったり、点灯したりします。つまり、電流が流れたのです。電流は電子の流れと逆に＋極から－極に流れますから、銅板が＋極、亜鉛板が－極となります。

では、今回作製した木炭電池のしくみを見ましょう。金属のアルミニウムは、食塩水の中で電子を放出して、アルミニウムイオンに変わります。この放出された電子は、導線でつながった木炭のほうに移動します。木炭にはたくさんの穴が空いており、その中には酸素が存在します。水と酸素と電子が反応し、OH^-となります。

このようにしてアルミニウム側から木炭側に電子が移動し、電流が生じます。この電流がモーターを回転させたのです。木炭側が＋極、アルミニウム側が－極となります。

ちなみに、時間の経過とともにアルミニウムはイオンになりますので、ボロボロになってしまいますが、木炭側では何も起こりません。

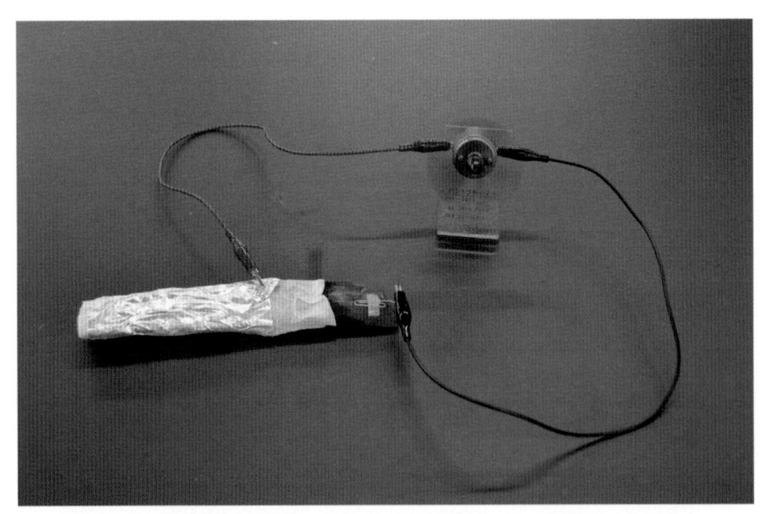

図１　木炭電池の完成（プロペラが勢いよく回転している）

23 その着色料は天然それとも合成

子供の頃、かき氷を食べた後、みんなで舌を見せ合ったことがありました。私たちの舌はどれも、赤や緑に染まっていました。氷の上にかけられたシロップの色だったのです。

今回は、いろいろな色のついた食品で異なる材質の毛糸を染めてみましょう。私たちの舌のように染まるのはどちらでしょうか。

【準備】

50mlビーカー／ピンセット／ガラス棒／駒込ピペット／三脚／金網／ガスバーナー／毛糸（アクリル、羊毛）／食酢／着色に使う食品（各種シロップ、メロンソーダ、紅ショウガ、福神漬け）

【手順】

①30cmに切った毛糸（アクリル、羊毛）を、洗剤を入れた水で煮て表面の油を除く。その後、5cmに切り分ける。

②シロップ3種（青、緑、黄）、メロンソーダ、紅ショウガ、福神漬けの液体を5mlずつビーカーに取り、25mlの純水を加えた後、さらに5mlの食酢を加え染液とする。

③各染液に2種類の毛糸（アクリル、羊毛）を入れ加熱する。沸騰後さらに5分間加熱する。

④2種類の毛糸の染色の違いを比較する。

【結果と解説】

この手法を使えば、着色料が合成着色料か天然着色料かを判定できます。酸性にした着色料で天然繊維である羊毛を煮て、染まれば合成着色料、染まらなければ天然着色料と判定できます。合成繊維のアクリルの場合は、合成着色料でも天然着色料でも染まりません。

図１には、異なる毛糸の染色の違いを示しています。上段は天然繊維である羊毛、下段は合成繊維のアクリルです。また、左から青のシロップ、緑のシロップ、黄色のシロップ、メロンソーダ、紅ショウガ、福神漬けです。

結果から明らかなように、天然繊維の羊毛では染色されますが、合成繊維のアクリルではまったく染色されません。

今回の実験では、すべて合成着色料であることがわかりました。

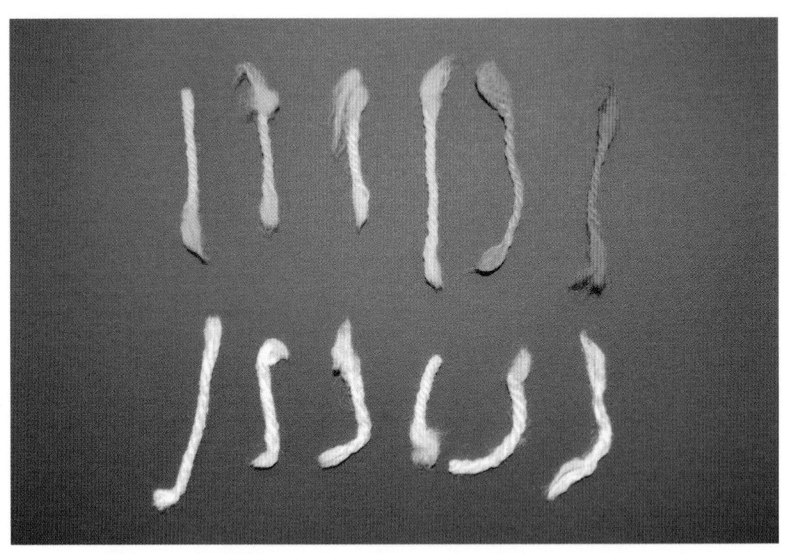

図１　合成着色料による染色（上が羊毛、下がアクリル）

24 タマネギの皮で布を染める

化学染料が発明される前には、糸や布の染色はすべて天然のものが使用されていました。

青は藍、赤は茜や紅花、紫はある種の貝を材料として染められていました。近年、草木染めが、そのやさしい色合いから人気です。身近にあるものを材料にして、染色が楽しまれています。

本日は、タマネギの皮を使って木綿の布を染めてみましょう。さらに、いろいろな媒染剤を使用することで、色が変化することも確かめてみましょう。

【準備】

タマネギの皮／媒染剤（カリミョウバン、硫酸鉄、硫酸銅）／木綿の布／ビーカー／三脚／ガスバーナー／金網／ピンセット／ガラス棒

【手順】

① 300ml のビーカーに 100ml の純水と３g のタマネギの皮を入れ、ガスバーナーで加熱する。沸騰させながら 10 分間色素を抽出する。

②色素を抽出後、皮のみを取り除き、染液の中に木綿の布を４枚入れて、さらに 10 分間加熱する。

③染色が終わった木綿の布は、ペトリ皿に取り出す。

④ 50ml のビーカーに 1.5g のカリミョウバンと純水 50ml を入れ、溶かす。

⑤ 50ml のビーカーに 1.5g の硫酸鉄と純水 50ml を入れ、溶かす。
⑥ 50ml のビーカーに 1.5g の硫酸銅と純水 50ml を入れ、溶かす。
⑦染色の終わった③の布を④、⑤、⑥の各ビーカーの水溶液に 10 分間浸し、各布の色を比較する。

【結果と解説】

図 1 の①は無媒染、②はミョウバン媒染、③は硫酸鉄媒染、④は硫酸銅媒染での布を示しました。

無媒染は淡い茶色、ミョウバンでは黄色がかった茶色、硫酸鉄では黒みがかった茶色、硫酸銅では濃い茶色に染色されました。

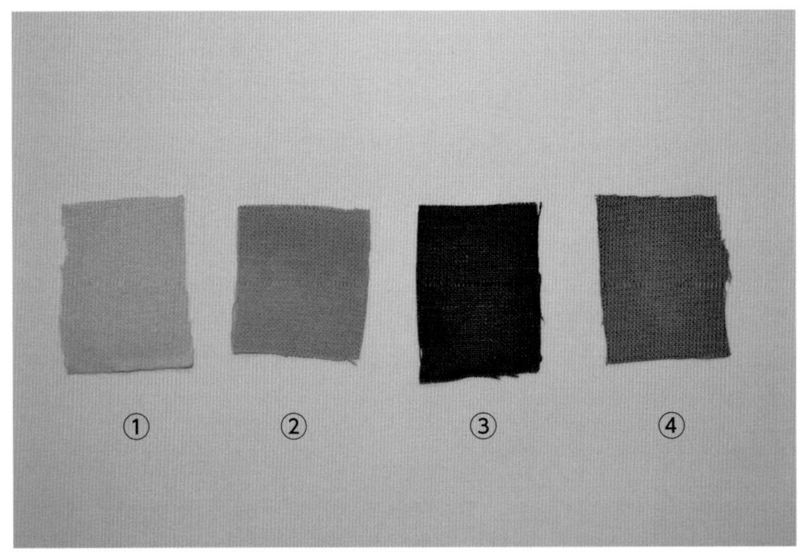

図 1　無媒染、各媒染剤を使用した場合の色の比較

タマネギの皮には、ケルセチンと呼ばれるポリフェノールの一種が含まれています。黄色い色をしているため、古くから染料として利用されてきました。

媒染剤のはたらきは、布の繊維と染色剤の結合を強め、堅牢度を高めるために使用します。

しかし、その使用する種類によって本来の色とは異なる色になることが多いです。

硫酸鉄では、茶色が黒みがかった色になりました。大島紬の泥染めは有名ですが、渋い黒い色は、泥の中の鉄イオンが関与しています。

ポリフェノールと呼ばれる化学物質は、実に多くの植物に含まれています。ブドウの果皮のアントシアニン、お茶の葉のカテキン、大豆の種子のイソフラボンなどが挙げられますが、その数はなんと数千にも及びます。

多くの植物がポリフェノールを持つようになったのは、紫外線の存在が大きく関係しています。紫外線はDNAに損傷を与えたり、活性酸素の発生に関与しています。したがって、植物はポリフェノールという紫外線バリアーを持ったり、紫外線によって発生する悪者物質（活性酸素）を除去する必要があったわけです。

タマネギのケルセチンも強い抗酸化作用を持っています。そのため、最近では、健康食品として注目されています。

25 ムラサキキャベツの色がかわる

梅雨時に咲くアジサイの花言葉を知っていますか。それは「移り気」です。理由は、アジサイの花弁（本当はがく片）の色が土壌や花の時期によって変わるからです。花弁に含まれるアントシアニンという色素が土壌の pH やいろいろなイオンによって変化することが理由の１つです。今回は、このアントシアニンを使った実験を紹介します。

【準備】

ムラサキキャベツの葉／ 500ml のビーカー／ pH 試験紙／ハサミ／お酢／レモン果汁／炭酸水／石けん水／アンモニア水／純水／プラスチックカップ

【手順】

①ムラサキキャベツの葉 20g を、ハサミで細かく刻む。

② 500ml のビーカーに純水 200ml を入れ、沸騰させる。その中にムラサキキャベツの葉を入れ、10 分間煮て色素を抽出し、色素液とする。

③お酢(A)、レモン果汁(B)、炭酸水(C)、石けん水(D)、アンモニア水(E)、純水(F)をそれぞれ 10ml プラスチックカップに取る。

④ A ～ F のプラスチックカップに pH 試験紙を入れ、各溶液の pH を測定する。

⑤ A ～ F のプラスチックカップに色素液 0.5ml 加え、色の変化を記

録する。

【結果と解説】

表１は、各溶液の pH です。pH = 7 は中性で、７以下が酸性、７以上がアルカリ性です。７から数字が離れるほど、酸やアルカリの強さが強まります。

表１

A	B	C	D	E	F
3	3	5	8	11	7

胃液の pH = 2 くらいですから、かなり強い酸性の液体です。また、石けんづくりに使用した水酸化ナトリウムは強いアルカリ性を示します。

図１　各溶液に色素液を入れたときの変化

図１は、色素液を加えた時の各溶液の色を示しています。酸性の領域では赤、ピンクと変化します。また、強いアルカリ性の領域では緑色や黄色に変化します。

生物の教科書では、植物の持つ青い色素をアントシアンと習います。これは古い呼び名で、今ではアントシアニンと呼ばれています。

アントシアニンという物質名を持つ物質が存在するのではなく、アントシアニジンという色素の本体に糖や有機酸、金属が結合したものの総称を、このように呼びます。ライオンやチータをまとめてネコ科と呼ぶのに似ています。

ムラサキキャベツのアントシアニンは、このアントシアニジン本体に糖の一種であるグルコースが結合しています。

アントシアニンは一般に、溶液の pH によって少しずつ分子構造が変化することで、溶液の色も変化します。

26 地衣類で絹を染色する

世界のどの国でも19世紀の中頃に合成染料が作られるまでは、繊維の染色のすべてを天然染料で行っていました。また、そのほとんどが植物染料でした。

日本では、絹・木綿・麻の染色には茜・藍・紅花などが古来より使用されてきましたが、合成染料が明治時代に導入されると、急速に植物染料はすたれました。しかし、近年草木染めが見直され、その研究が盛んに行われています。

ヨーロッパでは古来ウールの染色に地衣類が使用されてきました。地衣類の一種であるウメノキゴケからは濃い赤紫の色素が得られます。また、マツゲゴケからは茶色の色素が得られます。

今回は、この赤紫と茶の色素で絹を染めてみましょう。

1．赤紫色に染色する（アンモニア発酵法による染色）

【準備】

ウメノキゴケ／ガラスのビン／アンモニア水／過酸化水素水／ホウロウの容器／絹の布／コンロ

【手順】

①ウメノキゴケをよく乾燥させた後、ゴミや樹皮を取り除き、さらに細かく刻む。

②細かく刻んだウメノキゴケ10gをガラスのビンに入れ、9%アンモニア水100mlと3%過酸化水素水5mlを入れ、よく混合した後、フタをして室温で保存する。

③1日に数回、静かに撹拌し発酵を早める。数日で濃厚な紫色となり染液として使用できる。

④染色容器（ホウロウかステンレス）に染液を入れ、染液の5倍の水を加える。

⑤布を入れて弱火で30～40℃までゆっくり加熱し、30分くらいかけて沸点まで温度を上げ60分程度煮沸すると、繊維は赤紫に染まる。

⑥火を止めそのままゆっくり冷まし、3～4回ぬるま湯でゆすぎ、軽く脱水して陰干しする。

図1　ウメノキゴケで染めた絹布

2．茶色に染色する

【準備】

マツゲゴケ／目の細かなネット／ステンレス容器／絹の布／コンロ

【手順】

①マツゲゴケをよく乾燥させた後、ゴミや樹皮を取り除き、さらに細かく刻む。

②細かく刻んだマツゲゴケ10ｇを目の細かなネットに入れる。ステンレス容器に300mlの水を入れ、マツゲゴケを加える。

③弱火で30～40℃までゆっくり加熱し、さらに30分くらいかけて沸点まで温度を上げ、２時間程度加熱すると、繊維は茶に染まる。水分が蒸発したら水を足す。

④火を止めそのままゆっくり冷まし、３～４回ぬるま湯でゆすぎ、軽く脱水して陰干しする。

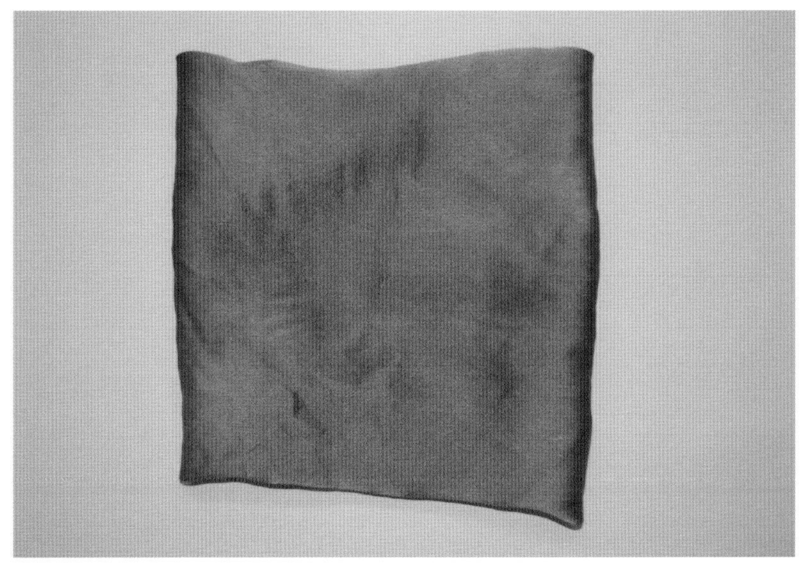

図２　マツゲゴケで染めた絹布

【結果と解説】

今回染色に使用した地衣類とは、どのような生物なのでしょうか。

私たち人の体は、数十兆の細胞で出来ていますが、どれもさかのぼれば、たった１個の受精卵から始まっています。

地衣類の体を構成するのは細胞ですが、まったく性質の異なる２種類の生物から成り立っています。１つは菌類で、もう１つは藻類です。

藻類が産生した光合成産物を菌類に提供し、菌類は藻類に水分や生活の場を提供しています。２種類の生物がお互いに利益を与え合って生活を維持するような関係を、共生といいます。

地衣類の多くは二次代謝産物を産生します。その化学物質の役割は、他の微生物から地衣類を守ったり、有害な紫外線から地衣類を守ったり、昆虫からの食害を防ぐなど多岐にわたっているようです。

今回使用したウメノキゴケにはレカノール酸などの成分が含まれています。レカノール酸は発酵によって赤紫色のリトマスに変化し、染料となります。

27 地衣類からリトマス試験紙をつくる

リトマス試験紙とは、溶液の酸性またはアルカリ性を調べるための、赤または青の紙です。本来のリトマス試験紙は地衣類の一種のリトマスゴケを材料として得られたリトマス色素を使用しますが、現在は、化学的に合成された色素が使われています。

リトマスゴケの生育地は地中海沿岸や南米で、日本には生育していません。日本で普通に産するウメノキゴケからもリトマスと同様な色素が得られることから、ウメノキゴケからリトマス試験紙を作ることができます。リトマス試験紙を作ってみましょう。

【準備】

ウメノキゴケ／水酸化ナトリウム／酢酸／ろ紙／乳鉢

【手順】

赤紫色の色素を得る手順はウメノキゴケで絹布を染める時と同じですので、その後からの説明です。

①赤紫色の染色液から水分を蒸発させ乾固させた後、色素塊を乳鉢で粉状にする。

② 0.2 モルの水酸化ナトリウム水溶液で色素を溶かす。

③ろ紙を②の水溶液に浸し、吊して乾燥させる。

④乾燥させたろ紙を１％水酸化ナトリウム水溶液に浸し、アルカリ性にした後、乾燥させて青色試験紙（図１左）が出来上がる。

⑤青色試験紙を１％酢酸溶液に浸した後、つるし乾燥させると赤色試験紙（図1右）が出来る。

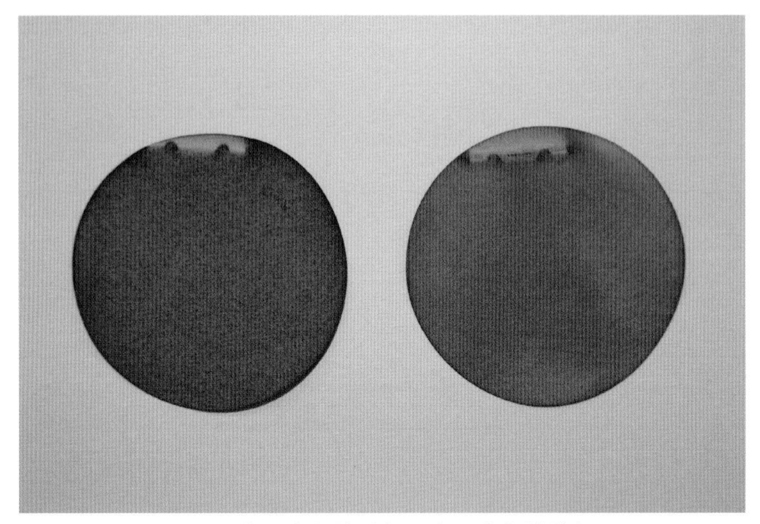

図１　左：青色試験紙　右：赤色試験紙

【結果と解説】

作製したリトマス試験紙が使えるか実験してみましょう。青色試験紙を１％酢酸（酸性）に浸けると赤に変化しました。また、赤色試験紙を１％水酸化ナトリウム水溶液（アルカリ性）に浸けると青に変化することから、リトマス試験紙として十分使用できることがわかりました。

リトマスの合成過程は、次のように考えられています。

ウメノキゴケに含まれるレカノール酸が加水分解されてオルシノールに変化します。これは、アンモニア存在下において空気酸化されオルセインとなります。このオルセインがアルカリ条件で重合するとリトマスになると考えられています。このリトマス中のオルセインは酸性で赤、アルカリ性で青に変化します。

第3章

生物、地学、物理、環境保全に関連した実験

28 葉脈標本をつくる

秋に池に落ちた葉は、時間とともに腐敗して分解されていきます。しかし、よく見ると葉脈はずっと残っています。蛾の幼虫などは、樹木の葉を食べて大きくなっていきますが、硬い葉脈はきれいに残しています。

今回は、薬品を使って葉から葉肉部分を取り除き、葉脈だけを残した葉脈標本を作ってみましょう。きっと、素敵なオリジナル栞が出来ると思います。

【準備】

植物材料（カナメモチ／ヒイラギモクセイ）、薬品類（水酸化ナトリウム）、器具類（ラミネーター／ラミネートフィルム／アイロン／台紙／ピンセット／シャーレ／ブラシ／新聞紙／着色ペン〈ポスターカラーマーカー〉）

【手順】６～７枚分

1．葉を水酸化ナトリウムで煮る

①カナメモチとヒイラギモクセイの葉を水洗し、水気を切る。

②ステンレスの鍋に水200mlを入れ、水酸化ナトリウム20gを溶かし、水酸化ナトリウム溶液を作る。

③6～7枚の葉を鍋のアルカリ水溶液に入れ、弱火で10分間程度加熱する。はじめ葉は緑色をしているが、やがて黒くなる。

④葉をピンセットで水を入れた水槽に取り出し、1時間以上水洗し、

強いアルカリ性の水酸化ナトリウムを除く。

2．標本の作製

①シャーレを裏返しにして、そこに葉を載せて広げる。

②ブラシで葉を軽く叩いて、葉肉を取り除く。時々水をかけ、葉肉を洗い流すとよい。

③新聞紙の間に葉脈標本を広げ、水を取り除く。

④ポスターカラーマーカーで着色する（着色しなくともよい）。マーカーをそっと上から押さえるようにする（弱いので注意）。

⑤新聞紙に挟み、アイロンで乾燥させる。

⑥台紙に載せてラミネートする。パンチで穴を開け、リボンを通してもよい。

【結果と解説】

図１は、完成した葉脈標本です。左のカナメモチの葉脈は透き通るように細く繊細です。右のヒイラギモクセイのほうは、しっかりとした葉脈で丈夫な感じです。

葉脈とは内部に維管束が通っています。光合成によって作られた糖が、ここを通って茎や根に運ばれます。一方、根で吸収した水や養分は、ここを通って葉の光合成を行う細胞などに運ばれます。したがって、維管束は水道管やガス管のようなはたらきをしています。

水道管やガス管は、地下で腐敗したり破損したりしないような丈夫な材質で出来ています。維管束も同様に丈夫に出来ています。

維管束で水の通り道は導管と呼ばれます。導管は細胞質がなくなった死細胞で、細胞壁が規則的に肥厚しているのが特徴です。糖分の通り道は師管と呼ばれ、こちらは生きた細胞です。

また、植物が重力に逆らって、上方にすっと立っていられるのも維管束のはたらきによります。

一方で、葉を構成するもので維管束以外ではどうでしょうか。

丈夫な維管束の他に、光合成を活発に行っている柵状組織や海綿組織があります。さらに、葉の表面は表皮細胞で覆われています。これらは高濃度の水酸化ナトリウム溶液の中で煮た後、ブラシなどでこすると簡単に除くことができます。

図１　完成した葉脈標本（左がカナメモチ、右がヒイラギモクセイ）

29 抗生物質のはたらき

1928年、イギリスの医師アレクサンダー・フレミングは黄色ブドウ球菌の実験中、この細菌を培養しているペトリ皿の中の青カビが目に留まりました。なんと青カビの周囲だけ黄色ブドウ球菌が増殖していないことに気がついたのです。

彼は、こう考えました。青カビが作るなんらかの物質が細菌を殺したのではないかと。この発見がきっかけで、後にペニシリンが大量に作られ、多くの感染症患者を救ったのです。

今回は、抗生物質の抗菌作用の実験を行います。

【準備】

納豆菌／細菌増殖用培地／抗生物質／滅菌シャーレ／円形ろ紙／ガラス・スプレッダー

【手順】

①抗生物質0.1gを秤量し、蒸留水100mlに溶解し原液とする。
②原液を10倍希釈し、10倍液を調整する。
③10倍液をさらに10倍に希釈し、100倍液を調整する。
④100倍液をさらに10倍に希釈し、1000倍液を調整する。
⑤納豆菌を0.85%食塩水に混ぜて細菌液を調整し、その少量を培地にたらし、ガラス・スプレッダーで広げる。
⑥原液から1000倍希釈液を円形ろ紙に浸し、培地に置く。

⑦ 36℃の温度で 24 時間培養する。

⑧細菌の増殖していない円形部分（阻止円という）の直径を比較する。

【結果と解説】

図 1 には、各濃度における阻止円の大きさを示しました。

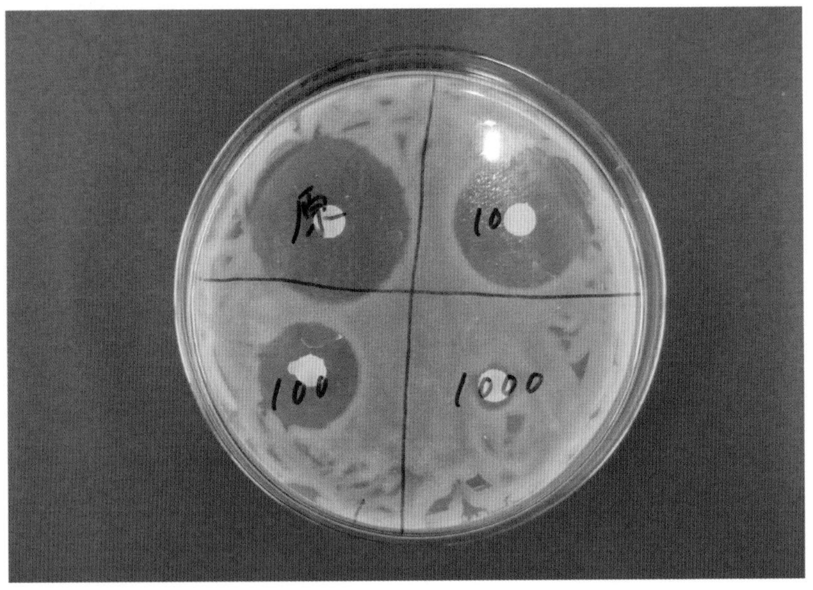

図 1　阻止円の比較（左上が原液で、その他、大きい順に 10 倍、100 倍、1000 倍）

阻止円が最も大きかった濃度は原液でした。濃度が薄くなるにしたがって、その大きさは小さくなります。

抗生物質のはたらきに関して見てみましょう。抗生物質は、そのはたらきによって何種類かに分類されています。

①細胞壁の合成を阻害するもの。ペニシリンはこのタイプです。

②細胞膜の透過性を変化させるもの。

③タンパク質の合成を阻害するもの。結核の治療薬のストレプトマイシンはこのタイプです。

④核酸の合成を阻害するもの。

抗生物質は、一部を除き町の薬局では売られていません。

その理由は、市民が医師の指示なく、薬局で購入した抗生物質を多用することで、抗生物質が効かなくなることがあるためです。

このような理由から、医師の処方箋がないと、抗生物質は使用できません。

30 ワサビの殺菌効果

日本人は、昔から刺身を食べる時、醤油にワサビを溶いて食べていました。これは、魚の生臭さなどを消すためなどの理由からと推察されます。ワサビ以外にニンニクやショウガを刺身につけて食べるのも、同じ理由からでしょう。

刺身は煮魚などと比較して細菌などは刺身表面で容易に増殖するため、大変傷みが早いものです。もしもワサビに殺菌効果があるとすれば、刺身にワサビをつけて食べることは理にかなっています。

今日は、ワサビなどの臭いの強い物質の殺菌効果について実験してみましょう。

【準備】

チューブワサビ／チューブニンニク／チューブショウガ／納豆／普通寒天培地／ペトリ皿（大・小）／ビーカー／三角フラスコ／コンラージ棒／滅菌水／アルミ箔／パラフィルム／培養器／高圧滅菌器（オートクレーブ）

【手順】

① 200ml の三角フラスコに普通寒天培地 3.7g と純水 100ml を加え、オートクレーブで滅菌後、直径 90mm の 4 枚の滅菌ペトリ皿内に分注し、フタを少しずらしながら乾燥させる。

② 50ml のビーカーに純水を入れ、アルミ箔でフタをした後、オート

クレーブで滅菌する。室温まで冷めたら、その中に薬さじなどを使って、納豆を５～６粒入れる。

③滅菌したコンラージ棒を使って、納豆菌を寒天培地の上に塗布する。

④直径 120mm のペトリ皿内に、納豆菌を塗布したペトリ皿とアルミ箔に入れたワサビ、ニンニク、ショウガを別々に入れる。また、コントロールとして納豆菌だけのものも用意する。最後に、ペトリ皿の上と下の隙間をパラフィルムで密閉する。

【結果と解説】

まず、図１の実験結果をご覧ください。

ワサビが入っている左のペトリ皿では納豆菌は増殖していませんが、ワサビが入っていない右のペトリ皿では納豆菌が増殖して、培地表面が白くなっています。

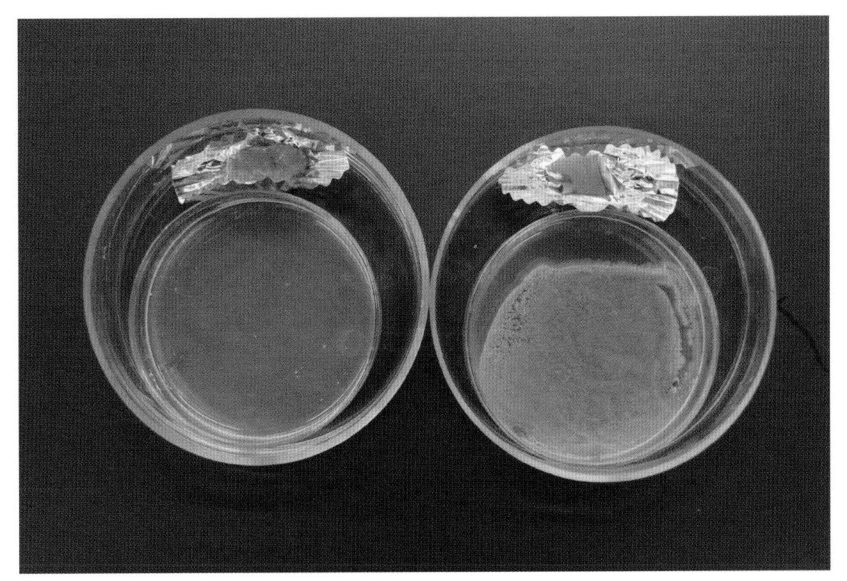

図１　ワサビが入っているペトリ皿（左）とワサビが入っていないペトリ皿（右）

ニンニクやショウガは細菌の増殖は抑制することはできませんが、ワサビでは、菌の増殖がまったく見られなかったのです。つまり、ワサビの臭い物質は、細菌の増殖を阻害したということになります。

実は、この実験を行う前に予備実験を行いました。

すると、ワサビはあまり細菌の増殖を抑制しませんでした。文献にあたってみましたが、カビや細菌の増殖を極端に抑制するとあったので、頭を抱えていました。

しかし、その理由が、賞味期限を見て判明しました。実験に使ったワサビは、賞味期限を過ぎていたのでした。

さっそく、新しいワサビを購入して実験を行ったところ、上記の結果が得られたのでした。

では、ワサビのどのような成分が、殺菌効果を持っているのでしょうか。

ワサビの辛味成分は、アリルイソチオシアネートと呼ばれる化学物質であることがわかっています。この物質はワサビの細胞内にすでに含まれているのではなく、前駆体のシニグリンという物質が酵素のはたらきによって、辛味のあるアリルイソチオシアネートに分解されます。

この物質は本来、草食動物などによる食害を防ぐための忌避物質として機能していると考えられています。

こんな鼻にツンとくるものを口にしたら、どの動物でも二度と口にしたくないはずです。人間を除いて。

31 竹トンボをつくる

ドラえもんの「ひみつ道具」にはいろいろありますが、その１つにタケコプターというものがあるのは、皆さんもご存じのことと思います。頭に付けると羽が回転し、自由にどこへでも飛んでいける道具です。空中でも水中でも使える優れものです。

本日は、中国や日本で古くから玩具として作られてきた竹トンボを実際に作り、ヘリコプターの原型ともなった竹トンボの飛行の原理を学びましょう。

【準備】

竹／カッターナイフ／工作マット／軍手／竹ひご／接着剤

【手順】

①竹を幅20mm、長さ150mmに切る。

②工作マットの上で、竹を持つ手に軍手をはめ、カッターで図１のように右側の下部と左側の上部を削る。裏側も同じく、右側の下部と左側の上部を削る（左利きの人は、これとは逆に右側の上部、左側の下部を削ることになる）。

③削り終えたら、軸を付けるための穴を錐で開けた後、軸を穴に差し込み、さらに木工用の接着剤で固定する。

④軸がしっかりと固定されたら、室外で飛ばしてみる。うまく飛ばない場合には、削り直して調整する。

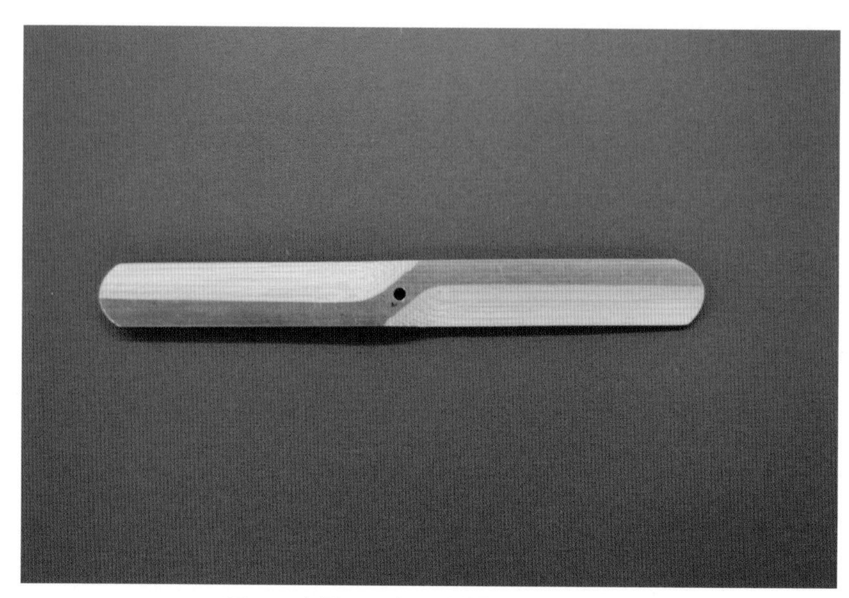

図１　右側の下部と左側の上部を削る

図２　生徒の作品

【結果と解説】

図２は、生徒が製作した竹トンボです。

羽の部分が大変うすく、全体的に軽く仕上がっています。飛ばしてみると、大変よく飛びました。

さて、竹トンボやヘリコプターはなぜ飛ぶのでしょうか。その原理を調べてみましょう。

空を飛んでいる飛行機が落ちないのはなぜでしょうか。この原理は、竹トンボの原理と似ています。

飛行機が高速で飛行中は、翼の上部と下部に空気の流れが生じています。しかし、上と下では空気の流れる速度が異なります。上部では速度が大きく、下部では逆に小さくなります。そこで、翼は下から上に押し上げられる力（揚力といいます）が発生します。このため、飛行機は落下しないのです。

竹トンボの場合ではどうでしょうか。

竹トンボの羽を横から見てください。斜めになっています。これは扇風機と同じです。

扇風機が回転すると、風が発生します。竹トンボは軸を中心に、勢いよく回転していますから、羽に当たった空気は下方へ押し出されます。この時、羽を下から上へ押し上げる力（揚力と習いました）が発生します。このようにして、竹トンボは空へ向かって飛び上がるというわけです。

軸がなかったら、竹トンボは飛ばないのでしょうか。軸がなくとも竹トンボは飛びますが、軸がないと羽に回転を与えられませんので必要ですし、回転中の姿勢保持に関係しています。

ところで、竹トンボを作る授業では、生徒によって進み具合がまったく異なります。早い生徒は２時間程度で完成させます。そのような生徒には、吹きゴマを作ってもらっています。

図3が、その吹きゴマです。4枚の羽根があり、ストローで上から勢いよく吹くと、回転を始め、さらに吹き続けると上空に飛び上がります。吹きゴマは、お刺身のパックなどに使われる透明なプラスチックと紙を使って作ります。

図3　吹きゴマ

32 大気圧の実験

大気圧のいたずらといえば、私が小学校６年の時の修学旅行での出来事を思い出します。

夕食時、全員が大広間に正座し、「いただきます」の合図で食事が始まりました。ところが、あちこちで「先生、お椀のフタが開きません」という声が上がりました。

先生は、慌てて生徒のところへ飛んでいきました。お椀のフタが開かなかったのは、大気圧のせいでした。

今回は、大気圧に関する実験を紹介します。

【準備】

フタのできるアルミの空き缶／水／ガスバーナー／水槽

【手順】

①フタのできるアルミの空き缶に少量の水を入れる。

②ボトルの下からガスバーナーで加熱する。

③湯気が出たところで、しっかりと栓をする。

④すぐに水槽中の水で冷やし、空き缶の変化を調べる。

【結果と解説】

アルミの空き缶はご覧の通り、ペッチャンコにつぶれました（図1）。

図1　つぶれた空き缶

では、なぜこのようにつぶれたのでしょうか。

それを理解するために、傘袋を使った実験を紹介しましょう。

傘袋の中に水を入れ、縦にします。袋の上の部位と下の部位に針で穴を空けます。当然、穴から水が噴き出してきますが、その勢いは歴然とした違いがあります。

さて、どちらから勢いよく水が飛び出すでしょうか。

下の穴から水が勢いよく飛び出してきました。水が静止状態にある時、水が物体に与える圧力は、物体と水面にある水の重量によります。つまり、圧力は、測定する点と水面の距離（水の深さ）に比例するわけです。したがって、下の穴から水が勢いよく出てくるわけです。ちなみに、この水の圧力のことを「水圧」と呼びます。

この原理を大気に置きかえてみましょう。

地表にいる人の上方には空気があります、空気にも水ほどではありませんが重さがありますので、圧力が発生します。この圧力を「気圧」と呼んでいます。

高い山に登ると、その上方にある空気の柱の高さが低くなるために、気圧は低くなります。低地で買ったポテトチップを高山に持っていくとどうなるでしょうか。高山は気圧が低いために、ポテトチップの中の空気は膨張し、パンパンに膨らむはずです。

さて、アルミの空き缶がつぶれるしくみを見てみましょう。

空き缶に水を入れ加熱すると、水は水蒸気に変化し、それまで缶の中に入っていた空気を押し出します。この状態でフタをきっちり締めた後、水で急冷すると缶の中の水蒸気は冷やされ、体積はおよそ1000分の1に減少します。すると、缶の中は真空に近い状態となって、周りから大気圧が缶にかかってきます。空き缶の材質はアルミですから、大気圧によって簡単につぶれてしまいます。

お味噌汁のフタが開かなくなった理由はおわかりでしょう。

お椀の中の熱いお味噌汁は、時間とともに冷めていきます。お椀の中の水蒸気は冷やされ、水に変わっていきます。すると、お椀の中が真空に近い状態となり、お椀全体に大気圧がかかってきます。お椀は丈夫に作られていますから、つぶれず、フタが取れなくなったのでした。

ちなみに、このような時、お椀の下の部分を横から押すと、隙間から空気が入り、お椀の中の真空状態は解除されるので、フタを取ることができます。

33 浮沈子をつくる

浮沈子（図1）と聞いて、多くの人は「それ、何？」と思うのではないでしょうか。

浮沈子とは、ペットボトルなど、フタのある容器を握ったりして圧力をかけると、水に浮いている容器（浮沈子という）が沈んでいきます。また、握りを緩めて圧力を元の状態に戻すと、沈んだ浮沈子が再び浮き上がってきます。

浮沈子は昔からある玩具ですが、この沈んだり浮いたりする現象には、2つのとても大事な原理がはたらいています。今回は、浮沈子を科学します。

図1　浮沈子

【準備】

500ml ペットボトル／水／醤油入れ／ナットまたは針金

【手順】

①醤油入れのキャップを外し、6 mm のナット（重さ約 1.7 g）を口に回し入れる。
②醤油入れの中に半分ほど水を入れ、ペットボトルの中に入れる。ペットボトルのフタをしっかりと締める。
③ペットボトル中で浮いている浮沈子が、ペットボトルを握った時に沈むように水の量を調節する。

【結果と解説】

この不思議な玩具「浮沈子」の元となっている２つの原理から説明します。

１つは「パスカルの原理」です。ブレーズ・パスカルは 17 世紀のフランスで活躍した哲学者であり、科学者でもあります。「人間は考える葦である」という言葉がとても有名ですが、科学の分野でも「パスカルの原理」を発見しています。

パスカルの原理とは、「密閉した容器中の流体は、その容器の形に関係なく、ある一点に圧力をかけた時、静止状態で、あらゆる地点の圧力は等しい」というものです。

もう１つは「アルキメデスの原理」です。アルキメデスは、紀元前のギリシャにおいて活躍した科学者ですが、アルキメデスの原理とは「液体の中で静止している物体は、それが押しのけた液体の重さに等しい浮力を受ける」というものです。

皆さんも、例えばプールなど水に入って水中で重い石などを持ったことがあるかもしれませんが、その時、外で持つよりも石の重さを軽く感じたはずです。

さて、浮沈子の原理を見てみましょう。

ペットボトルを押すと、パスカルの原理によって、ペットボトル全体に圧力がかかります。もちろん、浮沈子の中にも同様にこの圧力はかかります。

すると、浮沈子の中の空気は圧力によって体積が減少します。今度は、アルキメデスの原理によって、体積が減少した分、浮力が小さくなって沈むというわけです。

34 ゴミ袋で熱気球をつくる

私が学生だった頃、『少年の町 ZF』というコミックが流行っていました。その中で、高い塀によって安全を保障された少年たちですが、なんとか町との行き来を試みます。

ある少年が、熱気球を提案します。人が乗れる熱気球を作るには、どれくらいの大きさの熱気球を作ればよいか計算するのです。「おお、科学だ」と当時、思いました。

熱気球の原理は、とても簡単です。気球内部の熱された空気は軽いので浮くのです。今回は、身近なゴミ袋を使って熱気球を作って飛ばしてみましょう。

【準備】

45Ｌのゴミ袋／ゼムクリップ／ロウソク／空き缶／レンガ

【手順】

①ゴミ袋の下の４箇所にゼムクリップを付け、重しにする。
②ゴミ袋を広げ、逆さまにして椅子にかぶせる。
③椅子の下に６本のロウソクを立て、フタと底を取り除いた空き缶で囲む。空気が入るように空き缶はレンガの上に置く。
④ロウソクに点火し、ゴミ袋の中に暖かい空気を入れる。

図１　ゴミ袋熱気球

【結果と解説】

図１に示したゴミ袋は、やがて天井まで届くくらい浮きました（図2）。しかし、熱源がないので、その後、急速に落ちてきます。

では、熱気球が浮く理由を考えていきましょう。

理由の中には大事な原理があります。それは、浮沈子のところでも学んだ「アルキメデスの原理」で、この原理は「液体の中で静止している物体は、それが押しのけた液体の重さに等しい浮力を受ける」でした。この原理は、空気中でも同様にはたらきます。

では、45Ｌのゴミ袋が浮くことを計算してみましょう。空気の密度、袋の重さ、袋の体積がわかれば、計算できます。

ゴミ袋が押しのけた空気の重さ＝Ａ

ゴミ袋内の空気の重さ＝Ｂ

ゴミ袋とゼムクリップの重さ＝Ｗ

A ＞ B ＋ W が成り立てば、ゴミ袋は浮きます。

仮に外の温度が10℃、袋内部の温度が80℃、ゴミ袋の体積は85Lとします。10℃における空気の密度は1.247kg/m^3、80℃における空気の密度は1.000kg/m^3（乾燥した空気で、標準の大気圧のもとでの数値）です。

A ＝ 1.247 × 85 ＝ 105.995g
B ＝ 1.000 × 85 ＝ 85g

A－B ＝ 20.995gですから、およそ21gのものを持ち上げる力がはたらきます。W ＝およそ17gですから、十分持ち上げることができます。

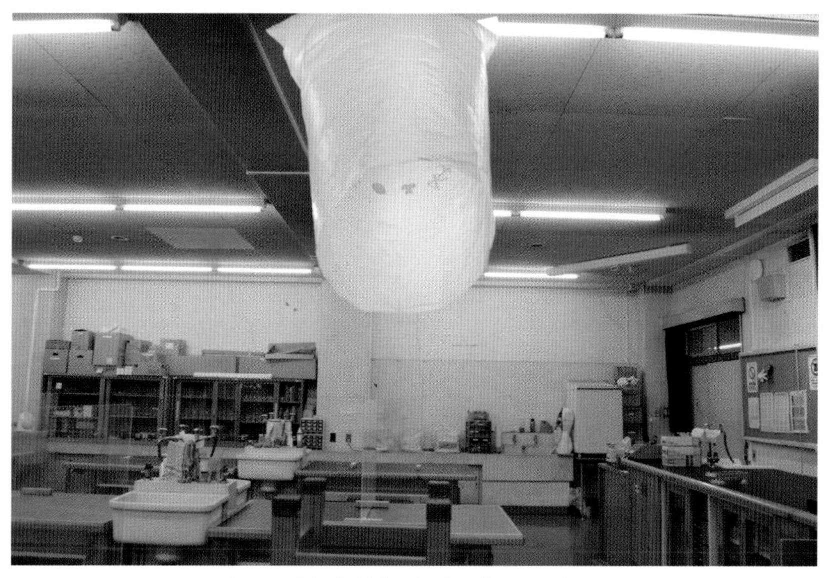

図２　ゴミ袋熱気球が天井まで浮いた

35 見えないラブレター〈あぶり出しで遊んでみよう〉

あぶり出しは知っていますか。

和紙などに、レモンやミカンの果汁で文字を書き、乾燥させます。すると、文字は見えなくなってしまいます。しかし、それを加熱すると見えなくなった文字が茶色の文字となって表れるのです。

紙を火であぶるので、あぶり出しといい、江戸時代から知られていました。今回は、このあぶり出しで遊んでみましょう。

【準備】

和紙／レモン汁／50ml ビーカー／綿棒／ガスバーナー／三脚／金網

【手順】

①和紙を適当な大きさに切る。和紙がなければ、普通の再生紙でもよい。

②綿棒をビーカーの中のレモン汁に浸した後、和紙に自由に文字を書く。その後、ドライヤーなどを使って乾燥させる。

③三脚の上に金網を載せ、ガスバーナーを点火する。金網に接しないように上方で和紙を熱する。この時、金網に近づけすぎて、燃やさないように注意する。やがて、文字が和紙に浮かび上がってくる（図１）。

図１　左があぶる前、右はあぶった後

【結果と解説】

あぶり出しは、江戸時代から庶民の遊びや神社のおみくじなどで行われてきました。

当時は、お酒などが使われていたようです。私が子供の頃、お正月などに、祖母からミカンの果汁を使ったあぶり出しを教えてもらったのを覚えています。加熱は火鉢の炭を使っていたと記憶しています。お酒や柑橘類の果汁以外にも、塩化コバルトや希硫酸、砂糖水も使えます。

あぶり出しの原理を調べてみましょう。

柑橘類の果汁にはアスコルビン酸（ビタミンC）やクエン酸などの酸性の物質が含まれており、これが和紙の主な成分であるセルロースと反応すると、水分を保持しにくい性質に変わります。

和紙は本来たくさんの水分を蓄えているので、加熱してもなかなか炭化しませんが、果汁と反応したセルロースは水を保持しにくい性質に変わってしまうため、より低温でも炭化が始まります。このような理由から、文字を書いた部分が早く茶色に変化するのです。
塩化コバルトの場合には、少しこれとは異なります。塩化コバルト水溶液で書いた部分を加熱すると、水が蒸発し、紙に藍色の塩化コバルト無水物が析出します。だから、文字の部分が青くなるのです。

36　10円硬貨をきれいにする

真新しい10円硬貨の色は、美しい銅白色をしています。しかし、長年、人の手や空気に触れると、だんだん黒くなっていきます。これは、10円硬貨の主成分の銅が酸化するためです。

では、この酸化銅を身近なもので取り除くことはできないでしょうか。台所などにある調味料などで実験してみましょう。

【準備】

10円硬貨6枚／醤油／ソース／お酢／サラダ油／中性洗剤／塩素系漂白剤／スポイト

【手順】

10円硬貨の中央に、スポイトで1滴たらし、5分後にティッシュペーパーでよく拭き取り、前後の表面の色を比較する。

【結果と解説】

実験の結果を表1にまとめました。

黒っぽい酸化銅（CuO）を分解する成分は、醤油、ソース、お酢に含まれていました。一方、サラダ油や台所用洗剤にはその効果はありませんでした。また、逆に、塩素系漂泊剤では、新しい硬貨を黒っぽくすることがわかりました。

表1　実験結果

醤油	ソース	お酢	サラダ油	台所用合成洗剤	塩素系漂白剤
○	○	○	−	−	×

酸化銅は、酸によって分解されるという性質を持っています（図1）。醤油にはアミノ酸、ソースには野菜や果物由来のクエン酸、お酢には酢酸などが含まれ、いずれも酸化銅を溶かします。しかし、サラダ油や合成洗剤にはこのような酸性物質は含まれていません。また、塩素系漂白剤の場合では、酸化銅が生成され、逆に黒っぽくなりました。

ところで、日本の造幣局が製造している通常の硬貨は500円、100円、50円、10円、5円、1円の6種類です。その成分も決まっています。

私が生まれた昭和30年に発行された50円硬貨は、現在の50円硬貨とまったく違っていました。なんと磁石につくのです。当時の50円硬貨にはたくさんのニッケルが使われていたため、磁石についたのです。

図1　お酢で中央部分がきれいになっている

37 鉛筆と消しゴムの科学

普段、何気なく使っている鉛筆。日本では、1565年には、すでに使用された記録が残っています。最初の鉛筆は、木の棒の先端に黒鉛をはめ込んだだけの単純なものでした。1795年頃には、現在私たちが使用している鉛筆が完成しています。今回は、鉛筆を科学します。

【準備】

紙／鉛筆／黒の色鉛筆／消しゴム

【手順】

紙に書いた黒い２本の線がある（図１）。左の線は黒の色鉛筆、右の線は鉛筆で書いたもの。これを消しゴムで消して、その消しやすさなどを比較してみる。

図１　左は黒の色鉛筆で右は鉛筆

【結果と解説】

消しやすいのは鉛筆で書いた右の線。消しにくかったのは色鉛筆で書いた左の線です（図2）。鉛筆の方がはるかに消しやすかったと思います。

これは、鉛筆と色鉛筆の材質が大いに関係しています。

図2　左の色鉛筆で書いた線は消しゴムで消せない

では、鉛筆の芯の材料とその製造法を調べてみましょう。

鉛筆の芯は、次のように製造されています。

①粘土と黒鉛と水を混ぜる
②混ぜた材料を芯の太さで押しつぶす
③芯を1000℃で焼き固める
④熱い油につける

次に、字が書けるしくみを調べてみましょう。

字を書く紙は、セルロースを主成分とした繊維が絡まってできています。鉛筆を作る黒鉛と粘土が一緒に削られ、紙の繊維の隙間に入り込むために、字が書けるのです。

逆に、消しゴムで字を消すしくみも調べてみましょう。

消しゴムの材料は、塩化ビニル、可塑剤およびセラミックス（研磨剤として機能）です。まず、セラミックスの粉が紙の繊維を削り、黒鉛と粘土を掘り出します。次に、可塑剤が掘り出された黒鉛と粘土を吸着します。このようにして字は消えていきます。

ところで、黒の色鉛筆の材料は鉛筆と異なっているのでしょうか。色鉛筆の材料は、着色顔料、タルク（滑石）、ロウ、糊等を混合後、芯状にして乾燥させます。鉛筆のように焼きません。

色鉛筆が消しゴムで消しづらい理由は、紙の繊維にロウが入り込み、消しゴムでは剥がすことができにくいからです。

38 マイギリ式火起こし法

火を起こす方法は、時代によって大きく変化しています。

現在では、マッチ、ライター、ガス器具で使われているような圧電式のものがあります。

では、江戸時代やさらにさかのぼって縄文時代ではどうでしょうか。今回は、摩擦を利用した火起こし法を体験してみたいと思います。

【準備】

マイギリ式火起こし器（図1）、麻糸

【手順】

①右巻き、左巻き、どちらか一方の方向に真ん中の棒にヒモが巻きつくまで回す。

②巻いた状態で、横棒に両手をかけてキリの軸がぶれないように力強く、一定のスピードで棒を回転させるように上下させる。

③早ければ１分後には煙が出始め、赤い火種を含む黒い粉が出てくる。

④それを麻糸の上に移し、口で軽く吹いて風を送ると、炎が出てくる。

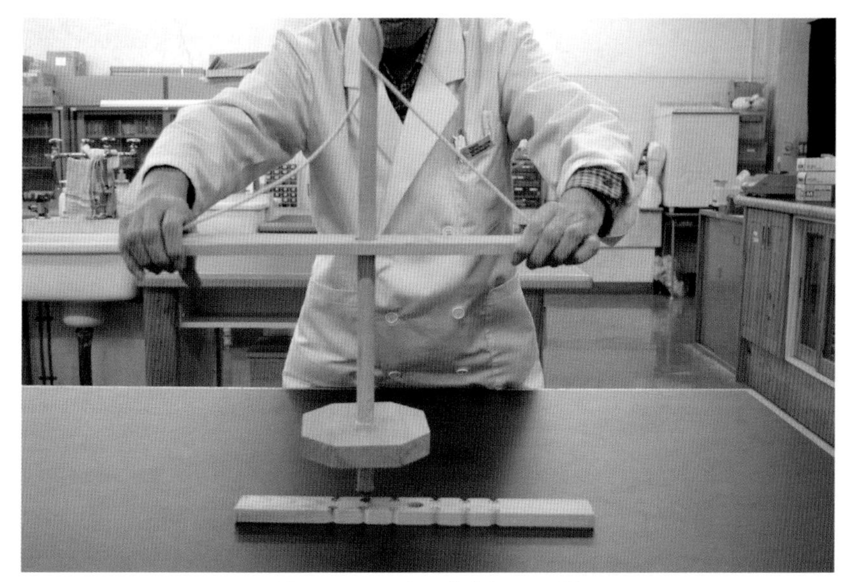

図１　マイギリ式火起こし器

【結果と解説】

人類は火を起こすことを知る前から火の存在は知っていたはずです。当時も、火山や山火事といった自然現象があったはずだからです。おそらく、人類は、その火を絶やさないように大事にしていたはずです。

火の利用によって、人類は大きな恩恵を受けることになります。まず、食事です。縄文人の主食はドングリなどでしたが、時に野生の獣も狩って食べていたはずです。

火がなければ、生で食べるしかありません。生は消化に悪く、また細菌や寄生虫の心配もあったはずです。

そこで火の登場です。火で加熱した肉は、おいしく消化にもよかったでしょう。さらに、加熱すれば保存性も少しは高まりました。また、火は冬に大いに活躍したはずです。

彼らの住居である洞窟は、冬はとても寒かったはずです。洞窟内や入口で火を燃やせば、暖を取ることができました。また、入口に置けば狼などの恐ろしい野生動物の侵入も防げたはずです。

やがて、人類は木と木をこすると、熱くなり、やがて赤い火種ができることに気が付き、ついには炎を得ることに成功したのです。いつでも、どこでも、誰でも火を手に入れることができるようになりました。

赤い炎を見ていると、縄文時代と同じ光景がふと浮かびます。

39 牛乳パックからハガキをつくる

私が子供の頃、豆腐を買いに行かされることがありました。持たされたのは、お金と鍋でした。

今のようにパックに入った豆腐がお店に出回るのは、ずっと後のことです。

以前は、ニンジンなどの野菜も現在のようにポリの袋に入ってはおらず、泥がついたままで売られていました。

最近、3Rという言葉をよく耳にします。

Reduce（減らす）、Reuse（再利用する）、Recycle（再資源化する）のRで始まる3つの英単語のことで、廃棄物を減らす運動に使われています。

今回は、Recycleの一例として牛乳パックを材料に、ハガキを作ってみましょう。

【準備】

牛乳パック／台所洗剤／紙漉き用道具（木の枠、メッシュ、すのこからなる）／ミキサー／アイロン／新聞紙／スポンジ

【手順】

1．パルプを作る

①牛乳パックを洗って切る

牛乳パックはよく水洗いし、底の部分や側面の糊づけされた部分は除き、鍋に入る程度の大きさに切る。

②牛乳パックを煮る

鍋に水１Ｌあたり、台所用洗剤を10ml程度入れ、30分程度牛乳パックを煮る。火から下ろし、半日程度放置する。

③表面のフィルムを剥がす

水に放置された牛乳パックは、繊維の中に水が入り込んで、白から灰色に色が変わってくる。このようになったら、表面と裏面に張られたフィルムを剥がす。

④パルプ繊維をほぐす

フィルムを完全に除かれたパックは、手で小さくちぎり、水とともにミキサーに入れ、繊維をバラバラにする。これで準備は完了である。

2．紙を漉く

①パルプ繊維を水に入れる

水槽（水切りかごの下の部分など）に水を入れ、さらにパルプ繊維を入れかき混ぜる。

②パルプをすくい取る

紙漉き道具を、すのこ、メッシュ、木の枠の順番で組立て、しっかり固定しながら水槽の中に沈め、パルプをすくい取る。この時、繊維の量が少ない場合は同じ操作を繰り返し、厚くする。

③メッシュを繊維の上に載せる

木の枠を取り外した後、もう１枚のメッシュを繊維の上に載せる。

④スポンジで水分を吸い取る

２枚のメッシュに挟まれた状態のパルプ繊維をタオルなどの上に置き、スポンジで水分を吸い取る。

⑤さらに水分を除く

新聞紙の間にメッシュを入れ、上から押さえつけて、さらに水分を除く。

⑥乾燥させる

別の新聞紙の上に、印刷されていない紙を置き、その紙の上にメッシュのついたパルプ繊維を置き、メッシュを取り除く。パルプ繊維の上にさらに別の印刷のされていない紙を置き、アイロンで乾燥させる(新聞紙だけだと、新聞の活字が漉いた紙に移る)。時間がある場合には、濡れた状態のパルプ繊維をガラスの板に張り付けて乾燥させてもよい。

【結果と解説】

図１は完成したハガキです。牛乳パックには大変上質なパルプが使われているため、白くて丈夫なハガキが出来上がりました。

生徒には、自分が漉いたハガキに感謝の言葉を添えて、担任の先生に渡すように指導しています。中には渋る生徒もいますが、「ハガキ受け取りました」と担任の先生から報告を頂いたこともありました。生徒は、紙の歴史についても学習を進めていきます。

図１　完成した手漉きハガキ

紙はいつ、どこで、どのようにして発明されたのか、紙の歴史について見てみましょう。

紙が発明される以前の人類は、文字を書くのに粘土板や薄くした木や竹、さらに亀の甲羅、動物の皮などを使っていました。

本来の紙の発明は、西暦105年、中国の蔡倫が、樹皮、布、魚網などを利用して発明したとされていますが、明らかになっていません。

現在のような木材パルプを原料とする製紙法が発明されたのは、19世紀中頃のヨーロッパにおいてです。

木材パルプを原料とする製紙法は、ハチの巣（図２）がヒントになったという説があります。

③メッシュを繊維の上に載せる

木の枠を取り外した後、もう１枚のメッシュを繊維の上に載せる。

④スポンジで水分を吸い取る

２枚のメッシュに挟まれた状態のパルプ繊維をタオルなどの上に置き、スポンジで水分を吸い取る。

⑤さらに水分を除く

新聞紙の間にメッシュを入れ、上から押さえつけて、さらに水分を除く。

⑥乾燥させる

別の新聞紙の上に、印刷されていない紙を置き、その紙の上にメッシュのついたパルプ繊維を置き、メッシュを取り除く。パルプ繊維の上にさらに別の印刷のされていない紙を置き、アイロンで乾燥させる(新聞紙だけだと、新聞の活字が漉いた紙に移る)。時間がある場合には、濡れた状態のパルプ繊維をガラスの板に張り付けて乾燥させてもよい。

【結果と解説】

図１は完成したハガキです。牛乳パックには大変上質なパルプが使われているため、白くて丈夫なハガキが出来上がりました。

生徒には、自分が漉いたハガキに感謝の言葉を添えて、担任の先生に渡すように指導しています。中には渋る生徒もいますが、「ハガキ受け取りました」と担任の先生から報告を頂いたこともありました。生徒は、紙の歴史についても学習を進めていきます。

図１　完成した手漉きハガキ

紙はいつ、どこで、どのようにして発明されたのか、紙の歴史について見てみましょう。

紙が発明される以前の人類は、文字を書くのに粘土板や薄くした木や竹、さらに亀の甲羅、動物の皮などを使っていました。

本来の紙の発明は、西暦105年、中国の蔡倫が、樹皮、布、魚網などを利用して発明したとされていますが、明らかになっていません。

現在のような木材パルプを原料とする製紙法が発明されたのは、19世紀中頃のヨーロッパにおいてです。

木材パルプを原料とする製紙法は、ハチの巣（図２）がヒントになったという説があります。

図２　キイロスズメバチの巣

ハチは巣を木材から作ります。木材を強い顎で噛み砕き、唾液などと混ぜて巣材を作っています。実際、ハチの巣を燃やしてみると木の燃える臭いがします。

40 プラスチックの科学

スーパーで買った乾燥ワカメや黒砂糖の袋の裏側を何気なく見ていたら、こんなマークがありました。

上と下を向く２つの矢印の間に「プラ」の文字が見えます。

その下や横にアルファベットの大文字で PP、PE、PA と記されていました（図1）。

図１　「プラ」と PP の表示　　「プラ」と PE、PA の表示

これは何を意味するのでしょうか。

プラはプラスチックのようです。では、PP、PE、PA は？

そもそも、私たちはプラスチックに関してどれだけ知っているのでしょうか。今回は、いろいろなプラスチックを手に取り、調べてみましょう。

【解説】

1．そもそもプラスチックとは何

プラスチックとは、高分子物質からなる物質の中で、成形品や薄膜にして使用することを目的として、人為的に製造されたものを指し、「合成樹脂」とも呼ばれます。普通、プラスチックは石油を材料とします。

2．一般的なプラスチックの特性

長所
①軽くて腐食しない。
②加工が容易である。
③電気を通さない。

短所
①高温や紫外線に弱い。
②時間が経過するともろくなる。
③海洋へ流れ、環境に悪い影響を与える。

3．プラスチックの作り方

炭素原子は４本の結合手があり、そのうちの２本は炭素同士の結合に使用されます。残りの２本には水素や酸素などの反応基が結合します。

エチレンの重合を例にして見てみましょう。このように、たくさんのエチレンが結合し、長い繊維状のものとなるのです。

たくさんのことをポリ（poly）といいます。したがって、プラスチックの素材は頭にポリと名の付くものがほとんどです。

【エチレン（C_2H_4）の重合の例】

付加重合

$nCH_2=CH_2 \rightarrow$ $\{CH_2\text{-}CH_2\}n$ （n は任意数）

4．身近なプラスチックの種類と特性

名称、略号、特性の順にまとめていきます。

①ポリエチレン、PE、スーパーのレジ袋の素材として使われています。燃やしてもダイオキシン類は発生しません。

②ポリプロピレン、PP、熱や折り曲げに強く、また軽いのが特徴です。お菓子の袋などに使われています。

③ポリスチレン、PS、お菓子の袋などにも使用されていますが、発泡させた発泡スチロールが緩衝材としてなじみ深いです。

④ポリ塩化ビニル、PVC、薬品や腐食に強く、さらに絶縁性にも優れています。したがって、電線の被膜に使われています。また、安価であることも利点です。

⑤ポリエチレンテレフタレート、PET、透明で液体やガスに強い性質があるため、ペットボトルの材料として利用されています。

⑥ポリアミド、PA、総称名はナイロンと呼ばれ、特に衣類の材料として使用されますが、自動車にもたくさん使用されています。

第 4 章

自分たちの体を使った実験

41 レーウェンフックの顕微鏡作製

生物の形などを拡大する道具はいろいろあります。柄付きの虫眼鏡、ルーペ、実体顕微鏡、複式顕微鏡さらに電子顕微鏡などです。

細胞説は顕微鏡がなければ誕生はしなかったですし、ウイルスの存在は電子顕微鏡の発明を待たなければなりませんでした。

レーウェンフックは、直径が１mm 程度のガラス球を金属の板にはめ込み、いろいろな微生物を観察しています。

今回は、同じようにガラス球を利用した顕微鏡を作製し、細胞を観察してみましょう。

【準備】

ガラス球／厚紙／両面テープ／黒マジック／画びょう／各プレパラート

【手順】

①スライドガラスの２倍程度の大きさの厚紙（ケント紙）を用意する。

②２つに折った厚紙の内側の中央部分を黒のマジックで塗りつぶす。

③厚紙の内側の中央部分を両面テープで貼り付ける。

④画びょうを使ってガラス球が入る程度の大きさの穴を開ける。

⑤穴にガラス球（図 1）をはめ込み完成。

⑥タマネギの表皮のプレパラートの上に顕微鏡を重ね、試料の真上に

ガラス球が来るように調節した後、ガラス球をのぞきながらピントを合わせる。方法は、厚紙の端を少し手前に引き、試料とガラス球の間を空けることで行う。光源は天井の蛍光灯や外の間接光を使う。太陽光は絶対に使わない。

【結果と解説】

自作した顕微鏡でタマネギの表皮細胞を観察すると、複式顕微鏡の100倍程度の大きさに見えます。細胞の中には核も確認できますが、さすがに鮮明度は落ちます。精子のプレパラートを使い見てみましたが、精子はうまく確認できませんでした。

レーウェンフックが作製した顕微鏡は500台以上と言われていますが、現在9台が博物館に保存されています。その倍率は最高で266倍と言われています。彼は、自作の顕微鏡で微生物や人の精子まで観察しています。顕微鏡に使用したガラス球は研磨ではなく、ガラス管をバーナーで加熱して、丸い球にしてレンズにしたと推察されています。

図1　使用したガラス球（直径は2mm）

42 髪の毛の表面を見る

以前、ものの表面を観察する方法として、スンプ法が知られていました。その方法とは、スンプ板と呼ばれるプラスチックの板があり、それにアセトンなどの溶剤を塗り、表面がまだ溶けている状態で、髪の毛などの観察したいものを置くのです。

溶けたプラスチックが固まったら、髪の毛を除くと、髪の毛のレプリカがプラスチックに残るというしかけでした。

そのスンプ法は、現在は、まったく学校現場では活用されていません。しかし、最近、ピロキシリンを主成分とする液体絆創膏を利用して、スンプ法と同じように髪の毛の表面を観察できることがわかりました。

実際に髪の毛の表面を見てみましょう。

【準備】

液体絆創膏／スライドガラス／髪の毛／ハサミ／顕微鏡

【手順】

①自分の髪の毛を１本ハサミで切り取る。

②スライドガラスの上に、液体絆創膏をハケを使って薄くのばす。

③乾燥しないうちに、自分の髪の毛を液体絆創膏の上に置く。

④液体絆創膏が乾いたら、髪の毛だけをゆっくり取り除く。

⑤カバーガラスはかけないで、そのまま検鏡する。

【結果と解説】

髪の毛の表面は、キューティクルと呼ばれる鱗状の構造（図1）が見られます。

走査型顕微鏡などを使えば、さらに鮮明に観察できます。

脱色などで髪にダメージが与えられると、このキューティクルが剥がれ落ち、枝毛の原因となったりします。

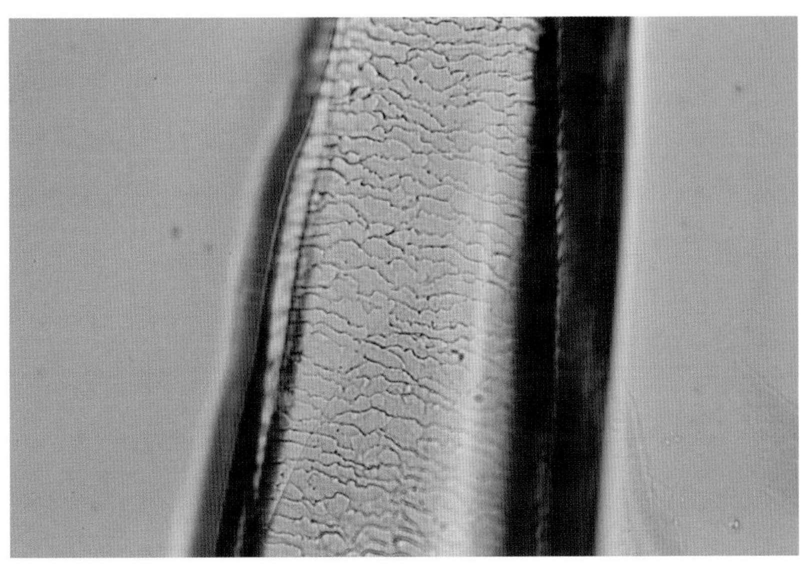

図1　キューティクル構造が見られる毛髪

43 視覚の実験（暗順応・明順応ほか）

外から急に暗い映画館などに入った直後は館内が暗すぎて、はじめは何も見えません。しかし、数分が過ぎると、薄暗い館内が見えてきます。

また、暗い映画館などから明るい外に出た直後は眩しくて、目を細めたりします。しかし、数分もすれば目を細めなくても平気です。

このようなことは誰しもが経験したことがあると思います。

これらの現象は、それぞれ暗順応、明順応と呼ばれています。実際に実験をしてみましょう。

【準備】

暗くできる部屋

【手順】

①照明はつけた状態の明るい部屋（教室）において行う。左眼（右眼でもよい）を手で覆い、完全に光を遮った状態を５分以上維持する。

②５分以上経過したら照明を消し、暗幕などで部屋（教室）を暗くした状態で、右眼と左眼を交互に手で隠し、左右の眼の見え方を比較する。

【結果と解説】

明るさの調節には、２つのしくみがはたらいています。

１つは、瞳孔反射による調節です。

人の瞳孔の大きさは、中脳が反射の中枢となって意識とは関係なく調節されます。

もう１つは、視細胞の中にある光を感じるロドプシンという物質の量を調節することで行います。

ロドプシンは暗所では細胞内に蓄積していきます。この状態では暗所でも少しはものを見ることができます。しかし、この状態で急に明所へ移ると、蓄積したロドプシンが感光し、眩しく感じます。明所では視細胞のロドプシン量は低くなっていますから、急に暗所に移動すると感光物質が少ないため、真っ暗に見えてしまいます。

手で覆った側の眼の網膜にある視細胞においては、ロドプシン量が多いため、光に敏感になっています。

しかし、覆わない側の眼では、ロドプシン量が少ないため、光に対してあまり敏感ではありません。

したがって、手で覆った側の眼では、暗くてもぼんやりと見えて、覆わなかった眼では真っ暗に見えました。

人の色覚の実験

人では、網膜にある錐体細胞が色の識別に関係しています。錐体細胞は眼に入ってきた光刺激を受容すると興奮し、その刺激が脳に伝えられ、色覚が生じます。

錐体細胞には３種類あり、それぞれ「赤色光」「緑色光」「青色光」に最もよく興奮する細胞です。

赤色光に興奮する錐体細胞だけが刺激を受容した場合には人の脳は

「赤」という色覚が生じ、３種類すべてが興奮すると「白」となり、３種類とも興奮しないと「黒」という色覚が生じます。色覚に関する実験をやってみましょう。

【準備】

小鳥のような単純な形をそれぞれ赤、緑、青で塗る。

【手順】

①赤い鳥（図1）を光のよく当たる場所に置く。赤い鳥を 15 ～ 30 秒間見つめ、すぐに視線を下の鳥かご（図2）に移す。

図１　赤い鳥

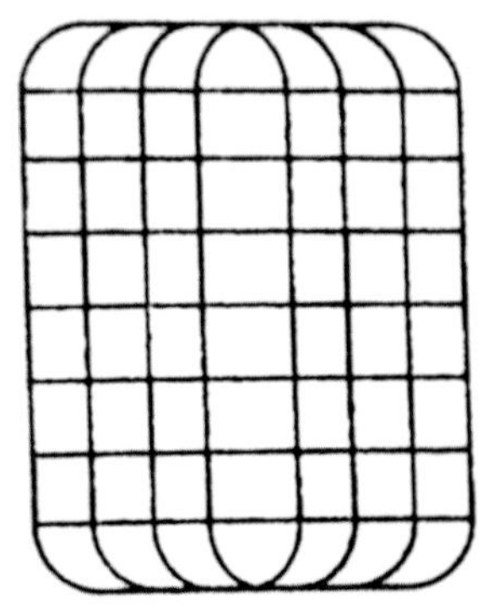

図２　鳥かご

②青い鳥を光のよく当たる場所に置く。青い鳥を 15 ～ 30 秒間見つめ、すぐに視線を下の鳥かごに移す。

③緑の鳥を光のよく当たる場所に置く。緑の鳥を 15 ～ 30 秒間見つめ、すぐに視線を下の鳥かごに移す。

【結果と解説】

赤い鳥を見つめた後、鳥かごに視線を移すと、薄い青緑色の鳥が出現しました。緑では、薄い赤みがかった鳥が出現しました。青では、黄色の鳥が出現しました。

このように、本来白のはずの紙に、異なる色の鳥が出現したわけです。この理由は、次のように説明されています。

下の図３は光の三原色を示しています。赤、青、緑がすべて混じると白となります。白を見ている時は、３種類すべての錐体細胞が興奮します。

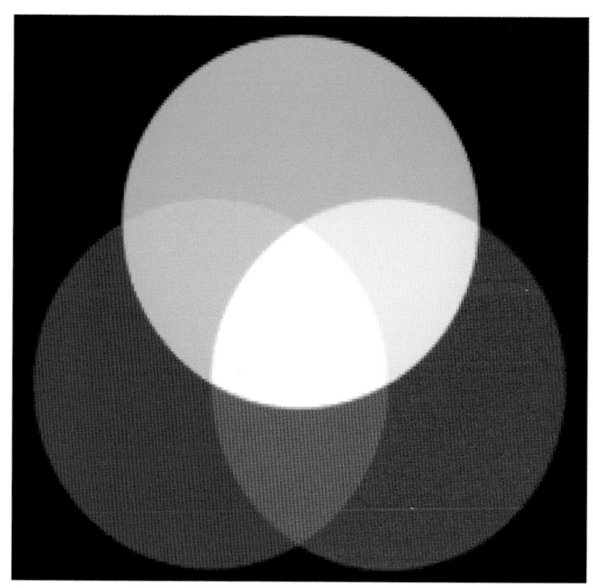

図３　光の三原色

赤い鳥を見続けると、赤色光に対し興奮する細胞が一時疲労し、赤色光に反応しづらい状態になってしまいます。

つまり、上の図の中央の白から赤を除いた色、つまり緑と青が混じったシアンが出現したわけです。

青い鳥や緑の鳥を見た場合も同じことが起きます。

44 盲斑の実験

盲斑は、以前は「盲点」と呼ばれていましたが、現在の生物などの教科書では「盲斑」と表記されています。

しかし、日常的には「盲点」という言葉がよく使われています。

例えば、「犯人、警察の盲点をつき、まんまと逃げおおせた」などのようにです。

さて、「盲斑」とはどのような場所なのでしょうか。実験を通して確認しましょう。

【準備】

プリントなどに、●と★を15cm程度間隔を空けて描いたものを用意する。

【手順】

①左眼を左手で完全に覆い隠す。

②プリントを右手に持ち、右の眼で左の●をじっと見つめる。

③右手に持ったプリントと眼の距離を調節する。すると、ある距離のところで右の★が視界から消えてなくなる。

【結果と解説】

この実験の結果を理解するためには、人の眼の構造と視覚が発生するしくみを理解する必要があります。

図１は人の右眼の断面構造を示してあります。人がものを凝視する時には、その像はちょうど眼の中心部分にある黄斑に結像します。つまり、●から出た光はちょうど黄斑部分に結像しています。この時、右の★から出た光は、レンズを通り、盲斑部分に結像します。盲斑部は、視神経が外部に出る部位ですので、この部分には光を感じる細胞がありません。このような理由で、視界から★が消えたのです。

ところで、盲斑があることで私たちの日常生活において何か不便があるのでしょうか。いいえ、まったくありません。盲斑があっても、脳のほうで補ってくれているようです。

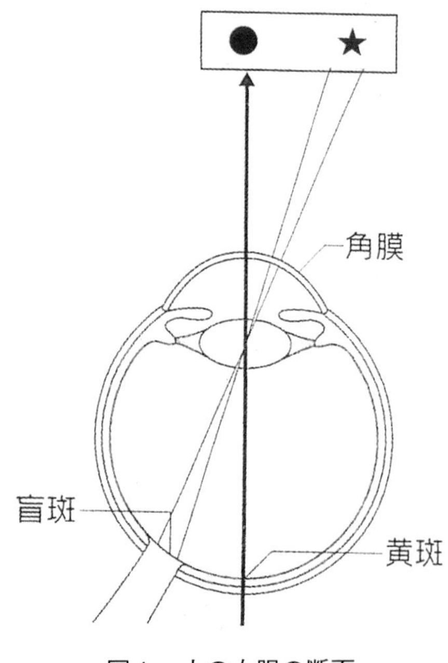

図１　人の右眼の断面

45　甘味を消す不思議なお茶

ギムネマの葉は、ギムネマ・シルベスタという学名を持つ「つる性」の植物の葉のことです。

インドでは2000年以上も前から、この葉をお茶にして飲んでいます。この植物はヒンディー語で「砂糖を壊す」という意味で、gur-marと呼ばれています。ギムネマの葉をかじった後、砂糖などの甘いものを食べても甘味を感じなくなるためです。

この実験では、この不思議なお茶を飲んだ後に甘いものを食べ、本当に甘味だけがなくなることを体験してみましょう。

【準備】

ギムネマの葉／鍋／水／チョコレート／グラニュー糖／塩／レモン

【手順】

①鍋に500ccの水を入れ、加熱する。
②ギムネマの葉を５ｇ量り、沸騰した湯に入れる。
③約５分間煮出す。冷却後茶こしを使って容器に入れる。
④チョコレート、グラニュー糖、塩、レモンの味を確認する。
⑤ギムネマ茶を５分間口に含み、舌になじませる（お茶は飲んでも、飲まなくてもよい）。
⑥再度、チョコレート、グラニュー糖、塩、レモンを味わい、はじめの味と比較する。

【結果と解説】

実験の結果を表１に示しました。

表１　実験結果

	チョコレート	グラニュー糖	塩	レモン
ギムネマ茶を飲む前の味	甘い	甘い	しょっぱい	酸っぱい
ギムネマ茶を飲んだ後の味	甘くない	甘くない	しょっぱい	酸っぱい

このように砂糖の甘さだけを消し、他の塩味や酸味にはまったく影響しないことがわかります。生徒の感想に「チョコレートは粘土を食べているようで、グラニュー糖は砂を食べている感じ」とありました。

では、なぜこのようにギムネマ茶は甘味だけを消失させるのでしょうか。これを調べる前に、味覚が生じるしくみを学ぶ必要があるようです。味には、甘味、塩味、酸味、苦味、それに旨味の５種類が知られています。もちろん、これらの刺激は舌という感覚器官で受け取られ、脳において感じ取られます。

舌の構造をさらに詳しく調べてみると、味蕾と呼ばれる感覚器官の中の味細胞が重要なはたらきをしています。この細胞の表面には、複数の味物質と結合するレセプターのような穴があり、これに味物質が結合すると興奮が神経を伝わり、脳まで達して味となるのです。

仮に、甘味物質と結合するレセプターにうまく入り込む物質があれば、甘味物質（ショ糖分子）は結合できず、味細胞において興奮は生じません。つまり、甘味が消失するわけです。

このレセプターに入り込み、甘味物質の結合を妨害する成分が、この不思議なお茶に含まれています。その成分名はギムネマ酸と呼ばれ、トリテルペン配糖体の仲間です。このギムネマ茶は健康茶として人気が出てきており、ダイエット効果も期待されています。

46 酸味が甘味に変わる不思議な果実

酸っぱいものが苦手という人はたくさんいると思いますが、その酸味が甘味に変わるような食べ物があったら、どんなに楽しいことでしょう。

ところが、世界は広い。酸味を甘味に変える不思議な果物が実際にあるのです。それが、今回紹介するミラクルフルーツ (miracle fruit) です。

この果実はグミのように赤い色をしており、これを舐めた後、レモンなどの酸っぱいものを食べると不思議なことに酸味が甘味に変化するのです。

【準備】

ミラクルフルーツ／レモン／ヨーグルト

【手順】

乾燥のミラクルフルーツを口に含み、白い果肉を舌全体に触るように２～３分よく舐める。その後、レモンやヨーグルトなどの酸っぱいものを食べてみる。

【結果と解説】

ミラクルフルーツは西アフリカ原産のアカテツ科の常緑樹の果実で、コーヒーの果実に似て赤く（図1）、紡錘形の種を１個持っています。

種皮と種の間の白い果肉の中に、有効な成分が含まれています。有効成分の名前は、ミラクリンと呼ばれる糖タンパク質であることがわかっています。

図1　乾燥ミラクルフルーツ（大きさ約20mm）

その糖タンパク質であるミラクリンのはたらきは、次のように考えられています。

味蕾の中の味細胞の甘味受容体にショ糖などの甘味物質が結合すると味細胞は興奮し、甘味を感じることは学びました。

ミラクリンはこの味細胞の甘味受容体には直接結合はできませんが、酸性物質と一緒になると、糖タンパク質はその立体構造が変化して、甘味受容体と結合するのです（図2）。

酸味と甘味を同時に感じるので、酸味だけより格段に食べやすくなります。

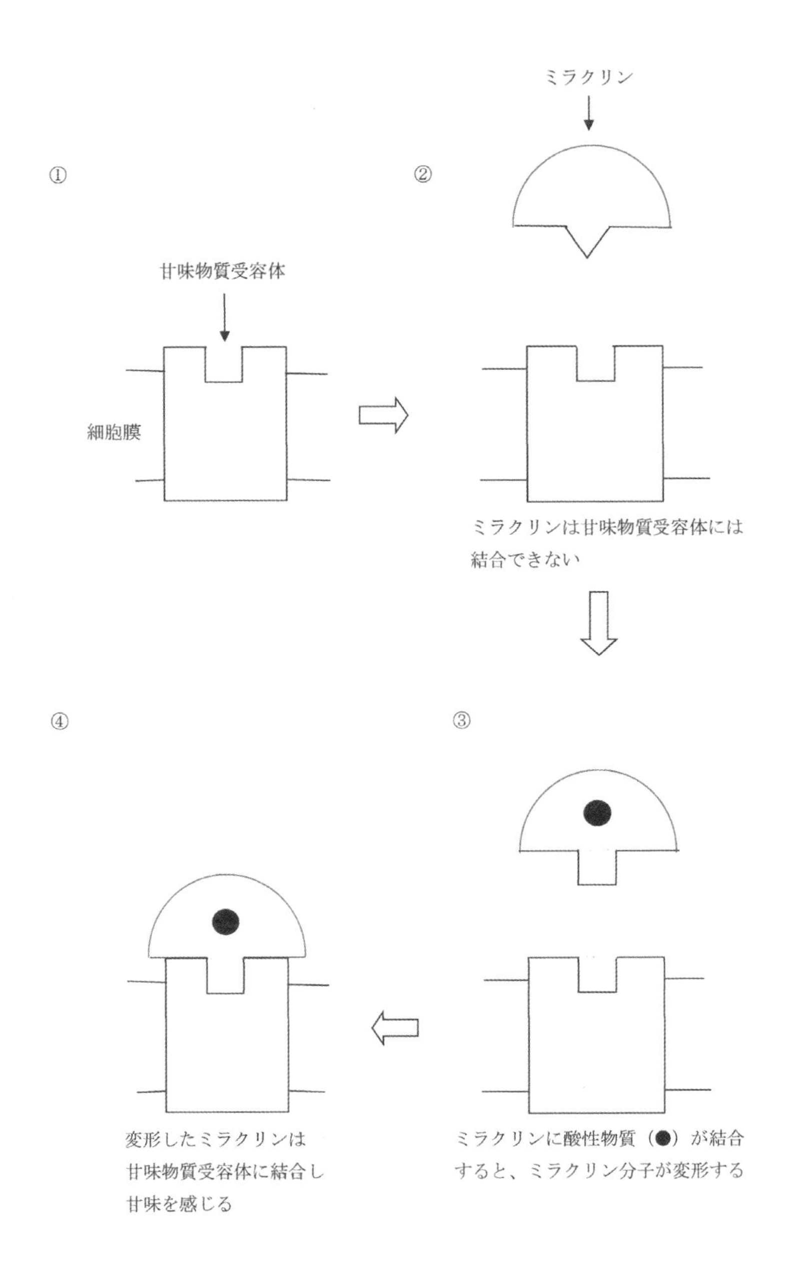

図２　ミラクリンのはたらき

47 皮膚感覚の実験

子供の頃、マッチの軸と自分の体の一部を使った遊びが流行っていました。

相手は、何本かのマッチの軸を束ねて、自分の手の平や腕に押し当てます。この時、自分は目をつむり、その数を当てるのです。

道具などほとんどいらない単純な遊びでした。しかし、このゲーム、なかなか当たらないのです。

特に、腕などは滅多に当たりません。人の体は敏感な場所とそうでない場所があるようです。

【準備】

定規／つま楊枝／輪ゴム／釣り糸／セロハンテープ

【手順】

1．皮膚に刺激を与えるための道具を作製

２本のマッチの軸の先端部分に短く切った釣り糸をテープで固定する。それを輪ゴムで定規に固定する（図1）。はじめは、その間隔をおよそ２cmにしておく。

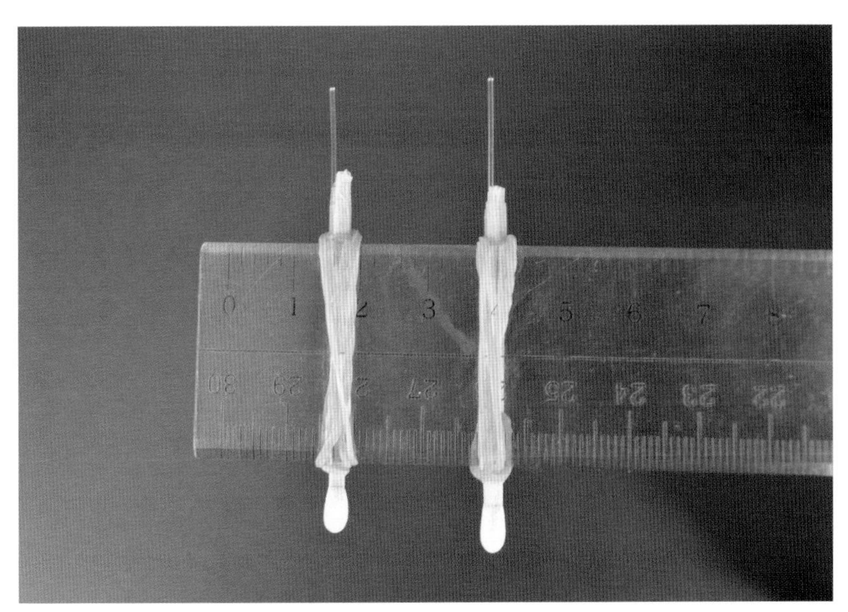

図１　皮膚に刺激を与えるための道具

2.実験の方法

①この実験は実験者と被験者の２人１組で行う。実験者は被験者の手の平、手の甲、前腕、指先、額を２本の釣り糸の先端で同時につくように刺激を加える。この時、体の長軸方向に沿って刺激を加える。被験者は目を閉じ、１点に感じるか、２点に感じるかを実験者に伝える。

②２点に感じた部位では、その距離を少しずつ狭めていき、２点が識別できなくなる距離を測定し、記録する。

【結果と解説】

いろいろな部位の２点閾（単位 mm）

部　位	２点閾
額	23
手の平	8
手の甲	31

部　位	２点閾
手の指先	2
前　腕	41
大腿部	68

人の皮膚には痛覚、触覚、冷覚、温覚などの刺激を受容する感覚点がありますが、体の部位によってその数は異なります（表１）。

表１　感覚点の分布度（人の皮膚１cm^2）

感覚点	額	鼻	胸	腕
痛点	184	44	203	196
触点	50	100	15	29
冷点	8	13	6	9
温点	0.6	1	0.4	0.3

特にこの実験に最も深く関与する感覚は触覚ですから、鼻などは胸や腕などと比較すると敏感な部位であることがわかります。

表にはありませんが、指先も触点の数は多いはずです。点字は指先で読むことから理解できます。

48 消化酵素のはたらき

消化とは、外界から取り入れた食物中の栄養素を体内に吸収できる状態にまで分解することです。

消化には、機械的消化と化学的消化があります。

機械的消化とは、咀しゃくと消化管の運動によって食べ物を細かくし、消化を助けるはたらきです。一方、化学的消化とは、消化酵素などによってデンプンやタンパク質などにある化学結合を切って、分解することです。

今回は、デンプンとタンパク質の消化についての実験をやってみましょう。

【準備】

ご飯／かつお節／だ液／人工胃液（食塩0.2g、ペプシン0.32g、希塩酸0.24mlを純水100mlに溶かす）／試験管／ポリ袋／ピペット／ウォーターバス／ベネジクト液／ガスバーナー

【手順】

①ご飯（主たる成分はデンプン）をポリの容器に取り、純水を加えよくすりつぶす。その一部を試験管に取り、ベネジクト液を少量加え加熱し、色の変化を見る。

②ご飯（デンプン）をポリの容器に取り、だ液と純水を加えよくすりつぶす。その一部を試験管に取り、ベネジクト液を少量加え加熱し、

色の変化を見る。

③人工胃液 10ml を試験管に取り、その中にうすく削ったかつお節を入れる。試験管は 37℃に設定したウォーターバスの中に 20 分間静置し、その後の変化を観察する。

※注意　ベネジクト試薬は、硫酸銅を含むアルカリ性の溶液です。この試薬を還元性の糖（グルコースやマルトース）に加え、さらに過熱すると、赤褐色の酸化銅が形成されるので、還元糖の検出に使われます。強アルカリ性の溶液ですので扱いに注意してください。

【結果と解説】

①の結果を見てみましょう。デンプンに水を加えただけでは、デンプンは分解されないことがわかりました（図1）。また、②では、赤褐色に変化したことからデンプンが分解され還元糖が生成されたことがわかります（図1）。

図1　左は還元糖を含まず、右は還元糖を含む

だ液には還元糖が含まれていないことを示す対照実験が必要です。

１日に分泌されるだ液の量はおよそ１～1.5Lです。だ液の中には「だ液アミラーゼ」が含まれ、デンプンは「マルトース」と「デキストリン」に分解されます。

だ液には酵素を含み、消化を助けるはたらきの他に、細菌や食べ物のカスを洗い流したり、リゾチームなどで細菌の増殖を抑えるはたらきもあります。

人工胃液の実験では、かつお節が小さく分解される様子が観察されました。

人工胃液に含まれる「ペプシン」は、タンパク質を分解することがわかります。ペプシンという酵素が最もよくはたらくpHはおよそ２で、強い酸性です。このような酵素は例外です。細胞の中ではたらく多くの酵素は中性で、よくはたらきます。

タンパク質は、アミノ酸が多数結合した構造をしています。ペプシンは、ある特定のアミノ酸の部位でペプチド結合を切断します。

ペプシンのはたらきだけでは、まだ腸から吸収できる形にはなりません。

胃においても機械的消化が行われています。胃に食べ物が送り込まれると、ぜん動運動によって酵素と食べ物がよく混ざるようになり、消化を助けるはたらきを担っています。

分解の進んだ食べ物は、次の十二指腸に送られます。ここでは、すい臓で作られたすい液によって、食べ物はさらに細かく分解されます。肝臓で作られた胆汁も、ここに分泌されます。

胆汁には消化酵素は含まれませんが、脂肪の乳化を行う胆汁酸が含まれています。

授業において胆汁を説明する時には、「臥薪嘗胆」という熟語にも触れます。嘗胆とは苦い肝を嘗める意味です。胆汁の味はとても苦いのです。生徒には胃腸薬の「ガロール」を味わってもらいます。ガロールの成分の１つに胆汁があり、強い苦味があるからです。

消化の最終段階は小腸で行われます。腸液には、単糖やアミノ酸、脂肪酸などに分解するための多くの酵素が含まれます。これらは絨毛で吸収されます。

49 学習曲線

横軸に試行回数、縦軸には、終了または達成するまでの時間を取ると、右下がりの曲線が得られます。それが学習曲線と呼ばれるものです。人は、大脳が発達しているため、このような学習が成立します。

今回は、鏡を使った作業とその作業が終了するまでの時間を測定することで、学習曲線を描いてみましょう。

【準備】

鏡／ストップウォッチ／鉛筆／作業用の図（図1）

【手順】

この実験は、実験者と測定者の２人１組で行う。

①実験者は鉛筆を持って、図１のような大小２つの星の内側のスタートからゴールまで、鉛筆で線を引いていく。この時、絶対に2つの線の外側に出てはいけない。さらに、もう１つの条件があり、それは直接図を見て実施するのではなく、鏡に映った図を見て行うというルールである。

②測定者は「始め」の合図とともに、ストップウォッチでゴールまでの時間を計測し記録する。

③実験者と測定者と交代し、お互いの記録をグラフ化する。

図１　学習曲線につかう図形（●がスタート、ゴール）

【結果と解説】

経験などを通じて、行動や行動パターンが変化する現象のことを、一般的に「学習」といいます。

教育現場では生徒は学習者であり、教師の仕事は学習者を支援することです。あることを達成するのに必要な時間は、回数が多くなると減ることは経験的に知っていますが、今回、実験を通して確認することができました。

今回の実験で、生徒が学校で学ぶことの意義を再度認識してもらえたらうれしいです。

50 血液型と血液型の判定

19 世紀のヨーロッパにおいて、普仏戦争などたくさんの戦争や紛争が勃発していました。その度に、たくさんの兵士が命を落としました。

出血多量の重傷者には、救命のために輸血が施されたでしょう。しかし、その輸血が原因で、命を落とした兵士はたくさんいたのではないでしょうか。安全な輸血が確立されていなかったからです。

そもそも 1900 年以前は、血液に型があることすら知られていなかったからです。しかし、1901 年に発表された論文によって、安全な輸血が行われるようになったのです。今回は、血液型の勉強です。

【準備】

抗Ａ血清／抗Ｂ血清／２つ穴ホールスライドガラス／ランセット／アルコール綿／木綿糸

【手順】

①机の上に殺菌した２つ穴のホールスライドガラスを置き、左側に青色の抗Ａ血清、右側に黄色の抗Ｂ血清を置く。

②自分の人差し指に木綿糸を巻き付けて、うっ血させる。アルコール綿で、採血する部位を消毒する。ランセットで皮膚を刺し、出血させる。

③出血させた血液と抗Ａ血清および抗Ｂ血清と混合後、静かに混ぜ、凝集反応の有無を調べる。

【結果と解説】

抗A血清と抗B血清と各人の血液を混ぜた時の凝集の4パターンと、血液型の判定を表1に示しました。

表1　4パターンと、血液型の判定

	抗A血清との凝集の有無	抗B血清との凝集の有無
A型	+	−
B型	−	+
O型	−	−
AB型	+	+

抗A血清と抗B血清を使用する方法においては、血球表面にある凝集原の種類を判定できます。凝集原Aのみを持てばA型。凝集原Bのみを持てばB型。凝集原A、凝集原B両方を持たなければO型。凝集原A、凝集原B両方を持てばAB型です。

血液に型があることを初めて発表したのは、医師のラントシュタイナーです。

はじめ彼が発見した血液型はA型、B型およびO型で、のちにAB型が発見されました。さらに、Rh式血液型も発見しています。彼のこの血液型の発見により、安全な輸血が可能になりました。この功績により1930年ノーベル生理学・医学賞を受賞しています。

追記：現在は、感染症等の問題から、血液型判定の実験は行っていません。

あとがきにかえて

10年にわたる「暮らしの科学」の授業を思いかえして感じることは、意外に楽しかったということです。

学校設定科目には、決められた教科書がありません。担当者がいろいろな文献にあたり、授業を行う必要があります。私も、毎週の「暮らしの科学」の時間をどのようなテーマでどのように展開しようかと随分と頭を抱えました。「暮らしの科学」の学習では、身近にあるものや、常日頃使用しているものが、どのようにして作られ、あるいは、はたらくかに興味・関心を抱き、そのしくみまで理解することが目標です。

担当初年度は、教室での演示実験や講義が多かったと思います。「マヨネーズって酢と油から出来ているのに、何で分離しないのかね？」とか、「蛍光灯のしくみ知っている？」といった感じです。

次年度からは、場所を教室から実験室に移し、生徒に実際にさせるように方向を転換しました。例えば、石けんで汚れが落ちるしくみを学習した後は、実際にサラダ油から石けんを作りました。また、人類がどのような方法で文字を記録してきたかの学習では、牛乳パックからパルプを取り出し、紙漉きなども体験しました。

今回紹介した50の実験に関しては、同じ「暮らしの科学」を担当する他の教員との教え合いも大変助かりました。授業プリントを参考にさせて頂いたり、また、授業を実際にみせて頂いたりもしました。さらに、「暮科で熱気球の実験をやりたいのだけれど、やり方教えてくれない」などと教員間のコミュニケーションも深まったと思います。これまで、「暮らしの科学」を担当してきた、たくさんの先生方に対してこの場をお借りしてお礼を申し上げたいと思います。

2021年2月　筆者

著者略歴

近　芳明（こん よしあき）

1955年生まれ
新潟大学理学部修士課程修了後、39年間東京都の教員として教壇に立つ
在職中に、千葉大学より博士（学術）の学位を授与される
現在、東京都の実習支援専門員として勤務
地衣類研究会所属
地衣類の共生関係に興味を持つ
「見えてきた菌と藻の共生メカニズム」「教材としての地衣類」「都市部と郊外に移植したウメノキゴケの成長の違いと環境教材の可能性」などの論文がある
東レ理科教育賞受賞（昭和63年度、平成5年度）
日本生物教育学会学会賞受賞（平成22年）

暮らしの科学　―50の実験―

2021年9月10日　第1刷発行

著　者　近　芳明
発行人　大杉　剛
発行所　株式会社 風詠社
〒553-0001 大阪市福島区海老江5-2-2
大拓ビル5-7階
TEL 06（6136）8657　https://fueisha.com/
発売元　株式会社 星雲社
（共同出版社・流通責任出版社）
〒112-0005 東京都文京区水道1-3-30
TEL 03（3868）3275
装幀　2DAY
印刷・製本　プリントパック

ISBN978-4-434-29298-9 C0077